20대 아티스트를 위한 에세이

Be; Talk!

안종혁은 California Institute of The Arts에서
Experimental Animation 학사와 석사를 받았다.
현재는 건국대학교 예술디자인대학 영상학과 교수로
재직 중이다.
저서로 만화영화 만들기(웅진), 애니메이션에 대한
6가지 이야기(쿠북), 사랑하기 좋은날(쿠북), 가장 쉬운
단편애니메이션 Pre-Production(쿠북), '하우투클래이
애니메이션' 번역서(영화진흥위원회), 'Let's make
애니메이션(시공사) 등이 있다.

20대 아티스트를 위한 에세이

Be; Talk!

머리말

'아티스트'라는 창작자로 살아간다는 것!
남과 다른 생각으로 새로운 것을 만들어 가는 것!
아름다움을 추구하며 삶을 디자인하는 직업을 갖는 것!
자신이 좋아하는 일을 하면서 먹고 산다는 것!

 과정 없이 결과만 보면 폼 나고 풍요로워 보인다. 많은 학생들이 이런 매력에 이끌려 예술대학에 온다.

 올해로 20년 예술대학 교수로 일했다. 창작자가 되겠다는 꿈을 가진 많은 젊은 학생들을 만났다. 자연스럽게 그들의 고민을 듣게 되었다. 그들 나이 때 나를 헤매게 했던 것들과 달랐다. '이런 부분까지?' 하는 놀람도 있었다. 사회와 문화가 바뀌어 생겨난 사고도 있었다. 그들의 고민을 경청하고 함께 나누었다.

 창작의 주체는 사람이고 그 사람은 바로 '나'이다. 창작자로 살아간다는 것은 자아 성찰이 동반된다. 성찰의 시작은 자기고민이다. 쌓아가고 두터워지는 사색. 대부분 창작자의 입문 시기는 대학 시절이다. 젊은 학생들에게 찾아오는 고민은 창작자로 살아가기 위한 업이자 이겨내야 하는 몫이다.

 예술대학 학생들의 성향은 다른 학문을 배우는 학생들과 다르다. 감성적이다! 다른 사람들이 느끼지 못하는 것을 느껴야 하기에 더 예민하다. 가끔은 심약하다는 말도 듣는다. 자신의 생각을 창작물로 구현한다. 가끔 괴팍하다는 말을 듣기도 한다. 더 쉬운 단어로 '돌아이'라는 단어가 더 맞을 거다.

어문 계열은 일의 명분을, 공대 계열은 목적과 결과를 중요시한다면, 예술계열은 과정의 즐거움을 중요시한다. 일을 진행하다 보면 변수를 만난다. 공대 계열은 변수를 오류로 판단하고 문제를 푼다. 예술계열은 우연을 통해 만난 예술적 영감으로 보고 때로는 지름길을 놔두고 돌아가며 괴로워하기도 하고 즐거워하기도 한다.

예술계열 학생만의 논리가 있다. 이 논리는 보편타당성이 강하기보다 개개인의 독특함에 의존한다. 합리성보다 유연성에 무게중심을 둔다. 다소 감정적으로 보이기도 한다. 하지만 길게 경청하면 그들 나름의 논리가 있다.

다른 점을 인정하고 이해하고 이야기를 들었다. 대화가 시작되었고 그들은 고민을 꺼내놓았다. 내가 한 일은… 할 수 있는 만큼 해결점을 찾도록 안내했다. 학생들이 내 연구실 문을 두드리는 숫자가 늘었다. 나에게도 좋은 시간이었다.

재미난 일은…
때로는, 말도 안 되는 작은 고민에 인생 고뇌에 빠져있다.
때로는, 너무나 커 보이는 문제 덩어리를 말하면서, 웃고 있다.
때로는, 본인이 고민을 털어놓고 본인이 답을 찾고 고맙다고 나가기도 한다.

아마 제3자가 보았다면, 돌아이와 돌아이 교수의 대화라고 생각할 수도 있을 것 같다.

이 책은 그들과 나누었던 고민 섞인 이야기들의 나열이다. 함께 나눈 시간의 메모 노트이다. 마음속에 고민을 가지고 있지만, 이야기를 나눌 누군가가 없거나, 시간을 내지 못해 이야기 나눌 기회를 찾지 못하거나, 소심하기에 누군가에게 마음을 보이지 못하거나…

 여러 가지 이유로 혼자 고민하는 젊은 창작자들이 한번 읽었으면 하는 책이다. 세상을 조금 먼저 산 사람의 인생 제안 정도로 가볍게 보면 좋겠다.

Contents

머리말 6p

들어가며… 12p

I. 만들어 간다는 것에 대하여 15p

시작은 항상 대단치 않아도 된다, 등 떠밈

자기만족에서 자기 확신으로

'개구리가 멀리 뛰기 위해 몸을 움츠린다'라는 말에 위축되지 말자

내게 주어진 것과 내가 가지고 있는 것

혜안은 언제쯤?

'한다'보다 양질의 실천이 필요하다

가치를 잡자

숨겨진 10분을 내 것으로 만들자

늦게 걷기를 시작한 20대에게

창작 작업 단어는 추상적이다

Input이라는 '그분'

작은 성취감이 필요해

과정 중 바뀌어도 내 것이다

걱정은 그만, 지금 필요한 건 터닝 포인트!

망설이지 말고 저지르자

태어날 때 코드를 가지고 있다

후회는 No, No

멈춘 시간

다트판

과정이 중요해? 결과가 중요해?

가끔은 존버가 답이다

완성 단계의 한 걸음이 첫걸음보다 어렵다

10

II. '나' 생각하기에 대하여   95p

구슬 쟁반 속의 고민
말하기 싫은 고민의 실타래
생각은 깊게! 결정은 빠르게!
감성 스위치 ON / OFF
스트레스와 귀차니즘
생각의 높이를 찾자
남과 비교보다는 자신에게 자신감을 주자
아이 같은 순수한 뇌를 갖자
이십 초의 고민
새로운 일을 시작할 때 끝을 상상
20대에는 체력을 쌓자
감을 따자
지피지기
'가능성'이라는 함정
나의 성향과 작업의 성격 차
새로운 것을 얻으려면 손에서 하나를 내려놓자
2를 뒤로하고 3을 맞이하는 기분이란…
변화를 이끌어 내는 아싸

들어가며…

나른하고 지루한 오후 4시, '하루'라는 시간을 먹고 있다. 오늘은 무엇을 위한 하루일까? 사색을 위한 사색. 지루한 오후를 보내고 있을 즘… 똑! 똑! 똑! 노크 소리가 들렸다.

"교수님~~?!"
"네." (하고 문을 연다.)
"이야기 좀 하고 싶은 것이 있어서요."
"들어와."
"초콜릿 좋아하신다기에…."
"뭐 이런 걸… 고맙다."

이렇게 학생들과 대화하는 시간은 즐겁다.

한유의 사설에 이런 글이 나온다.

"나보다 먼저 나서 그 도(道)를 듣기를 진실로 나보다 먼저라면, 내 이를 스승으로 좇을 것이다. 나보다 뒤에 나서 그 도를 듣기를 나보다 앞이라면, 내 이를 스승으로 좇을 것이다. 나는 도를 스승으로 하는 것이다."

나보다 먼저 태어난 사람, 선생(先生).

학생들이 두드리는 똑! 똑! 노크 소리는 나를 교수가 아닌 선생으로 불러주는 느낌이다.

I.

만들어간다는 것에 대하여

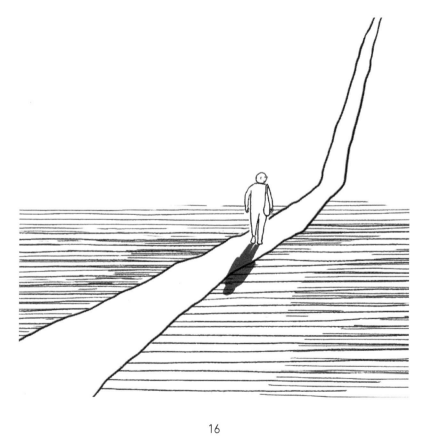

세상에 없는 새로운 것을 만드는 일은 막막하다.

한 번도 걸어보지 않은 길을 걷는 거다.
같이 걸어 줄 사람은 없다. 하지만 즐겁다.
걷다 보면 나와 같이 걷고 있는 나를 발견한다.

출발과 과정은 힘들다. 하지만 결과는 또 다른 출발을 약속한다.

창작이라는 일을 하고 있다는 건 축복이다.

시작은 항상 대단치 않아도 된다, 등 떠밈

직장을 다니며 대학에 강의를 나갔다. 젊었을 때다. 학생들과 나이 차이가 많이 나지 않는 막냇삼촌 정도였다. 스스럼없이 자기 고민을 나에게 던졌다. 대부분은 본인이 해결할 수 있는 거였다. 안쓰러웠다. 한걸음 뒤에서 바라보면… 조금만 머리가 트이면… 해결점을 찾을 일 인데….

대학으로 직장을 옮겼다. 강사 때보다 학생들과 대화의 기회가 많아 졌다. 많아진 숫자와 비례하듯 다양한 경우들을 만났다. 학생들과 나 눈 고민 대화를 책으로 기록해 놓으면 좋겠다는 생각이 들었다. '써야 지'라는 생각을 한 이후 시간이 많이 흘렀다. 아마 10년쯤. 스스로는 이해가 되는 시간이다. 자기합리화의 10년이랄까. '글을 쓸 내공을 쌓 으려고 그랬나 봐'와 '퉁' 쳤다.

코로나19가 시작되었다. 새로운 사람이나 모임은 사라졌다. 알던 사 람과 '턱'하고 앉아 이야기할 시간이 생겼다. 20살 남짓 어린 지인이 었다. 이야기를 들어보니 마음이 아팠다. 그렇다고… 그에게 조언이랍 시고 떠들어대기는 싫었다.

"그래! 그때 생각했던 책을 쓰자! 엉켜있는 고민에 작은 식견이 되는 책!"

이렇게 발동이 걸려 시작했다. 1년 동안 틈이 나면… 아니 틈을 내 서 썼다. 반 정도 썼을 때 다시 읽어보니 누가 썼나 싶을 정도로 개 발새발… 중구난방… 한마디로 쓰레기였다. 이렇게 다시 얼음~ 멘붕… 언제면 땡이 될지? 기다려야 했다.

나에 대한 실망이 있을 때는 에너지가 나지 않는다. 일도 진척이 없으니 마음이 무거웠다. 그러니 시간이 남았다. 전화가 왔다. 산에 가자는 거다. 난 산에 올라가는 것을 그다지 좋아하지 않는 사람이다. 오름, 정상, 제자리로 내려옴에 보내는 시간이 아깝고 지루했다. 갔던 길을 걷는 것도 싫었다. 하지만, 코로나로 운동도 못하니 마지못해 간다고 했다.

고개를 들어보니 난 정상에 서 있었다. 나쁘지 않았다. 이해가 됐다. 왜 사람들이 산에서 에너지를 찾는다고 하는지. 이렇게 둘의 동행은 2주에 한 번 정도로 고정 일과가 되었다. 어떤 때는 그냥 한강 변을 산이라고 생각하고 걸은 날도 있었다. 그날은 왕십리에서 연남동까지 걸었다. 아마 4시간 정도… 긴 시간을 걸으며 그 지인과 이런저런 이야기를 했다. 사는 이야기, 주변 이야기, 경제 이야기, 정치 이야기, 이러다 그 친구는 그림을 그리라는 거다. 이 권유는 그 전부터 있었다. 본인은 화가이니 그림을 그리는 거고, 내가 그림을 그려서 뭐 하라고. 하지만 그날은 집요했다. 이렇게 저렇게 하면 된다. 해라. 해 봐라. 안 한다. 하면 된다. 나이 들면 이런 거 해야 한다.

자존심 때문이었을까? 티격태격하다가 덮어놓았던 책이 생각났다. 이런저런 미사여구를 넣어 책을 설명했다. 그날의 결론은 "너는 그림을 그려. 난 책을 쓸 테니." 이렇게 다시 글쓰기가 시작됐다.

안 쓰는 동안 실력이 일취월장하지 않았을 거다. 내공이 갑자기 쌓여서도 아닐 거다. 산의 기운이 나에게 신내림을 준 것도 아닐 거다. 출판사와 계약이 되어 써야 하는 계기가 생긴 것도 아니다.

다시 시작하게 된 나의 동기를 전문용어로 말한다면, '등 떠밈'이다.

"너는 그림을 그려. 난 책을 쓸 테니."

그렇게 또 몇 년이 흘렀다. 잘 되는 일에는 항상 우여곡절이 있다. 고개를 들어보니 나는 글을 쓰고 그림도 그리고 있었다. 이렇게 책은 완결되었다.

자기만족에서 자기 확신으로

2학년이 끝나는 학기가 되면 '리뷰'라는 시간을 갖는다. 대학에 와서 2년 동안 본인이 무엇을 했는지 말하는 자리이다. 학생이 교수들에게 작업들을 보여주고 조언을 듣는 시간이랄까. '수업 시간뿐만 아니라 과외 시간에 이런 것들을 했어'라는 것들을 준비한다. 어떤 방향으로 작업의 틀을 잡을지, 어떻게 발전시켰으면 좋을지, 자신의 장점을 찾고 결점을 보완해야 할지, 부족하다면 어떻게 분발해야 할지… 뭐 이런 대화를 나눈다.

교수들은 편하게 생각하지만, 학생들은 리뷰를 통해 자신의 민낯을 보여준다고 생각하기에 경직되는 시간일 거다. 학생 1인과 교수 3인, 숫자만으로도 부담이다.

학생은 15분 정도 지나면 끝이다. 하지만 교수는 하루에 많은 수의 학생을 만나야 한다. 이렇게 며칠을 보낸다. 가장 힘든 일은 집중력이다. 보여주는 작업에서 무언가를 찾아내야 그에 맞는 제시를 할 수 있다. 학생에게 무엇이라도 도움이 되는 시간이어야 한다. 이런 과정은 보람차지만 힘든 일이다.

'갑질'이라는 사회적 단어가 이슈여서 조심스럽다. 요즘은 나는 보이는 대로 말을 던지지 않는다. 꺼린다고나 할까. 말을 아낀다고나 할까. 나를 위해서인지 학생을 위해서인지 모르겠다.

오래전 한 학생이 생각난다. 개인적인 이야기일 수 있으니 이름은 안 밝히는 걸로. 간단히 설명하면 이렇다. 남학생이었다. 삼수를 해서 대학에 와서 1학년 마치고 군대를 다녀왔다. 보통 키의 왜소한 편이고 성실하며 다소 고지식하다. 손은 빠르나 크리에이티브가 조금 떨어져 보였다. 자존감은 있어 보였다.

 본인이 2년 동안 진행했던 작업들이라며 이미지와 영상들을 보여주었다. 역시 손 빠름과 성실을 증명하듯 양적으로 많았다.

 옆에 있는 교수가 말을 건넸다.

 "군복학해서 정신없었을 텐데 열심히 살았구나."

 본인도 흡족해하는 듯했다. 자신감이 조금 넘쳐 자만심으로 비칠지도 모르는 선 정도였다. 보여주는 이미지들도 나쁘지 않았다. '좋다'와 '완벽해'의 사이쯤. 점수를 매긴다면 'B+'과 'A'의 사이 정도로 말할 수 있겠다.

 그런데 아쉬웠다.

 '자기만족만 걷어낸다면… 작업을 어설픈 자만심으로 대하지 말고 겸손함으로 대한다면 훌륭한 창작인이 될 텐데'라는 생각이 스쳐 지나갔다. 그리고 결심했다. 있는 그대로 이야기하자! 자존감이 있어 보이니 이겨낼 거야!

 "작업 잘 봤어. 너는 마음에 드니?"

 돌아오는 답은 기대한 대로였다.

 "네! 나름 열심히 했습니다."
 "열심히 해보여. 그런데 이게 마음에 들어서 안주한다면 B+선수로 남게 될 거야."

"네???"
"B+ 수준의 작업에 만족하면, B+ 정도의 일을 맡게 되고, B+ 정도의 완성도를 만들어 내고, B+ 정도의 대우를 받게 될 거야."

내가 뭐라고 한 거지… 분위기는 갑분싸. 학생의 얼굴은 울그락불그락하게 변했다. 리뷰 시간에 학생에게 할 말을 했는데 왜 이리 시험대에 올라와 있는 기분이 드는지.

"2학년에 B+ 정도이면 앞으로 더 열심히 해서 A+로 만들라는 말이시지, 알지?"

옆에 있던 교수가 분위기 반전 멘트를 던져주었다. 훈훈하게 마무리되나 보다 했다.

"저는 제 작업에 자부심이 있습니다."

이 말을 남기고 그 학생의 리뷰 시간은 끝났다.

리뷰 일정이 끝났다. 머릿속에 그 학생의 잔상이 남아있었다. 머릿속에서는 '내가 한 조언을 딛고, 아니 밟고 일어서라'라는 주문을 되새기고 있는 것 같았다.

이틀 뒤쯤인가, 늦은 오후에 노크 소리가 들렸다. 똑! 똑! 똑! 그 학생이었다. 내심 리뷰가 너무 기분 상해서 분노를 토로하려고 왔나 싶었다. 아마 덩치가 큰 학생이었다면 조금 쫄렸을 거다.

"들어와, 무슨 일?"
"리뷰 때 하신 말씀이 마음에 걸려서요."

"들... 어... 와, 근데 어떤 말?"
"B+이요."

'앗! 올 것이 왔구나' 하는 생각이 들었다.

"아, 그거 너 잘되라고 한 말이지. 난 △△이가 조금만 끈기를 갖고 만족하지 말고 완성도를 높이면 해서 말한 거야."
"그래서요. 교수님 저에게 A+로 변신할 기회를 한번 주세요."

앗! 당당했다. 내가 한 말에 책임감을 심어주는 듯했다. 고단수였다. 다행히 그 당시 진행하던 프로젝트가 있었다. 나도 당당히 이야기했다.

"음… 그래?! △△이가 그런 마음이라니 한번 해보자. 프로젝트 생기면 전화할게 기다려봐."

그날의 대화는 이렇게 마무리되었다. 며칠 후부터 그 학생은 프로젝트에 참여하게 되었다. 이틀에 한 번 정도로 진행사항을 체크하는 시스템이었다. 체크할 때, 이 정도면 이번 프로젝트의 수준에는 맞았다. 하지만 나는 머리를 갸우뚱했다. 미묘하지만 차이가 있는 두 가지를 더 만들어 보라고 했다. 계속 갸우뚱하는 나도 불편했다. 본인도 힘들었을 거다.

창작자에게 이거다 싶은 느낌의 이미지 외에 두 가지를 더 구상해야 하는 것은 힘든 일이다. 자기만족을 넘어 타인의 눈을 만족시킨다는 것. 산의 정상에 올라가 한숨 돌리고 위를 보니 정상이 눈앞에 남아있는 느낌. 나도 안다. 나에게도 그런 시절들이 있었으니.

그렇게 두 달을 보냈다. 프로젝트 수준에 맞춘 정도가 아닌 그 이상을 만들어 냈다. 서서히 본인이 가지고 있는 능력이 발현되기 시작했다.

"이런 느낌과 저런 느낌으로 두 가지만 더 해볼래?"
"에헴, 그럴 줄 알고 준비했지요!!"

능력의 스펙트럼이 넓어진 거다. 어느 정도가 좋은 것이고 어느 정도가 더 좋은 것이지 수준을 측정하는 눈이 생겨난 거다. 변화와 발전이 일어난 거다. 이럴 때 보람을 느낀다. 아마 그 학생에게 부족했던 것은 '능력'이 아니라 '쉽게 자기만족으로 작업을 멈추는 오류'였을 거다. 작업할 때 본인의 발목을 잡는 말이 있다. '이 정도면 된 것 아닌가?!' 일 거다. 이 말 대신에 '이거면 됐어!'로 바꾸면 좋겠다. '이 정도'라는 자기합리화의 뉘앙스 대신 '이거면'이라는 자기 확신으로.

자기합리화는 자신과 타협을 동행한다. 타협은 어떤 변수가 발생하면 양보하게 된다. 아이디어 스케치를 10개를 하려고 했다가 7개쯤 하고 있는데 친구가 급하게 보자고 한다든지, 아이디어가 안 나온다든지, 새벽 1시가 넘어 급 졸린다든지, 주문한 택배가 도착해 언박싱으로 시간을 보낸다든지. 타협의 경우는 수없이 많다. 마음속에서 '그래, 그래… 이 정도면 된 거지'라고 내가 나에게 양보한다. 어떨 때는 변수가 일어나기를 바라기도 한다. '무슨 일 생기지 않나?' 변수에게 양보하는 습관이 생기면 끝이다. 변명은 나의 아이디어 스케치 7개를 10개로 만들어 주지 않는다.

결과는 보여지는 거다. 말없이 보이는 결과가 곧 나의 능력치이다.

물론, 마무리한 10개의 아이디어 스케치 중 좋은 것이 없을 수도 있다. 또, '이거면 됐어'라고 확신한 아이디어 스케치가 좋은 결과와 이어지지 않을 수도 있다. 반대로 예상치 않게 별로라고 생각한 아이디어 스케치가 좋은 평가를 받을 수도 있다. 창작 작업은 이런 과정의 반복이다. 이러한 과정을 통해 자신의 위치를 알게 되고, 실패와 재작업 끝에는 '보는 눈'이 생겨날 거다.

그 △△학생은 프로젝트 마무리될 때까지 가장 성실했다. 작업량도 많았다. 그 수준도 높았다. 프로젝트를 마치고 또 한 번의 휴학을 했다. 한동안 얼굴을 마주할 수 없었다. 그러던 어느 날 늦은 오후에 노크 소리가 들렸다. 똑! 똑! 똑! 그 학생이었다. 졸업작품 준비 중이고 내 수업을 듣겠다고 했다. 나는 당당히 거부했다. 내가 줄 수 있는 것은 프로젝트를 진행하면서 다 주었다. 다른 교수님이 줄 수 있는 것을 얻는 것이 더 좋겠다는 생각이 들어서였다.

그 학생은 졸업 후, 본인이 원하는 회사에 입사해서 전문인으로 첫 발걸음을 시작했다.

오늘이 아프다는 것은 성장하기 위함이다.

아픔이 두려워 성장을 망설인다면 희망은 없다.

희망은 기대한 것보다 항상 작다. 그래서 희망이다.

젊음이 소중한 것은 노력하면 무엇이든 될 수 있는

가능성이 있다는 거다.

'개구리가 멀리 뛰기 위해 몸을 움츠린다'라는 말에 위축되지 말자

창작을 업으로 사는 사람들에게는 슬럼프가 오기 마련이다. 대학생, 졸업생, 젊은 작가, 하물며 대가도 피해 갈 수 없다. 학생들이 슬럼프 구간에 있을 때 종종 내 연구실 문을 두드린다.

이상하게 '똑, 똑, 똑' 노크 소리가 힘이 없고 맥 빠지게 들린다. 내 느낌만 그런 거겠지만. 슬럼프 구간의 학생 중 한 명이 생각난다. 얼굴은 밝다고 할 수 없고 어깨는 늘어져 있었다. 파자마 같은 바지와 평소에 안 쓰던 안경, 부스스한 머리, 아마 10분 전에 일어났다고 해도 믿을 만한 모습이었다. 대학교 근처에서 자취하는 학생들이 많으니 이해하는 부분이다.

"상담 가능하신가요?"
"지금?"
"… 네…."
"무슨 일 있니?
"아… 네…."
"혹시? 슬럼프?"
"슬럼프요? 음… 네…."

물어보지 않아도 알 것 같은 상태였다. 그래도 이야기의 시작은 본인의 입으로 하는 것이 좋을 것 같았다. 질문을 계속 던졌다. 메아리같이 반복되는 답은 "… 네…."

슬럼프 구간에는 보편타당하게 행동하기 힘들다. 그러기에 본인의 상태를 파악하는 것이 필요하다. 슬럼프를 슬럼프로 인정한다면, 대처할 수 있다. 슬럼프를 몇 번 넘어서면 현자로 가는 길을 만날 거다.

이렇게 몇 번의 '… 네…'를 반복하다가 분위기가 급반전됐다. 말을 시작하기가 어려워서 그렇지 한번 입을 떼니 수도꼭지가 열린 듯 콸콸콸 본인의 이야기였다. 뭐라 덧붙일 말 필요 없이 맞장구만 쳤다.

"아… 그래… 그렇지… 아… 그래… 그러네…."

대부분은 과도기에 겪는 고민인 듯했다. 고학년으로 바뀌는 시기, 휴학해서 복학하는 시기, 동기가 졸업하는 시기, 자신감이 줄어드는 시기.

"그렇죠. 개구리가 더 멀리 더 높이 뛰려고 움츠리는 것처럼 지금 저도 움츠리고 있는 거죠!"

대화가 거의 끝나가는 분위기였고, 본인이 답을 내린 거다. 어떤 다짐과 함께 얼굴이 밝아졌다. 과도기는 도약하기 위한 시기이다. 도약의 바로 전이기에 답답하기도 하고 움츠리기도 한다.

살다 보면 많은 명언에 의지하고 감명받기도 한다. 하지만 고사성어나 사자성어에 얽매여 산다는 생각이 들었다. 그래서 물었다.

"왜 개구리가 멀리 높게 뛰어야 해?"
"네?"

"멀면 두 번에 나눠서 뛰면 될 텐데. 왜 한 번에 멀리 뛰려고 하지? 본인이 가지고 있는 힘만큼 뛰면 되는데. 힘이 남으면 한 번 더 뛰면 되고. 개구리는 꼭 높이 안 뛰어도 돼. 언제부터 개구리가 꼭 높이,

멀리 뛰어야 한다고 한 거지? 높은 곳을 원하면 하늘다람쥐나 산양 아니면 새가 돼야지."

가끔은 '생각이 고정되어 있는 건 아닐까'하는 의구심을 가져보자.

왜 개구리처럼 뛰어야만 하는 걸까, 나는 사람이고 개구리는 개구리인데. 곰곰이 생각해 보면 멀리 뛰는 것 보다 어디로 뛰어야 하는지, 언제 뛰어야 하는지, 내가 왜 뛰어야 하는지… 이런 것이 더 현명한 판단일 수 있다.

세월이 지나 보니 이런 의구심들이 성장에 더 큰 영향을 준 듯하다.

사람 입장에서 바라본 개구리가 아니고, 개구리 입장에서 세상을 본다면 어떨까. 움츠리고 있는 시간은 정신적으로 헤매는 시간일 거다. 헤매다 보면 동물적인 감각이 길러진다. 개미도 그렇다. 보고 있노라면 분주하다. 어디로 가는지 알 수 없을 만큼 바닥을 헤매 다닌다. 길을 알고 가는지 모르고 가는지. 지루해서 딴청을 부리다가 다시 보면 어디선가 먹이를 물고 간다. 그 뒤로 개미들이 줄지어 일사불란하게 움직인다.

헤매야 할 때는 헤매야 한다. 헤맴을 즐길 필요는 없지만, 헤매는 시간은 낭비하는 시간이 아니라 자신의 모습과 의미를 찾는 시간이다. 보이지 않는 가치 있는 시간이다. 한번 해보자.

슬럼프를 두려워하거나 괴로워하지 말자. '올 것이 왔구나. 올 줄 알았다. 반갑다. 어디 한번 놀아보자'라고 생각해 보면 어떨까.

내게 주어진 것과 내가 가지고 있는 것

　세상은 불공평하다. 누구도 태어날 때 주어진 것을 선택할 수 없다. 나에게 주어진 것으로 세상을 살아가야 하기에 '내 팔자'라는 말이 나왔나 보다. 주어진 것 중 내 안에 내재되어 있어 보이지 않는 것도 있다.

　내 안에 주어진 것으로 무엇인가를 얻으려면 의지, 노력, 도전, 계기… 이런 단어들이 필요하다. 태어날 때 주어진 것이 많다면 이런 단어가 무색하다. 하지만 가진 자는 더 가진 자를 보며 불평한다. 그래서 공평해 보인다. 태어날 때 주어진 것이 적다고 낙담이나 좌절할 필요 없다. 내 환경이 내 것이라고 받아들이는 순간, 자각이 되는 순간, 거기서부터 새로운 시작이다. 자각은 빠를수록 극복할 수 있는 시간을 얻을 수 있다. 20대보다는 10대이면 더 좋고, 30대보다는 20대가 더 좋을 거다.

　아는 지인분이 있다. 명문대를 나와서 모 대학에서 교수를 하시는 분이다. 박사학위도 해외 명문대에서 취득하고 참 부럽다고 말을 건넸더니 돌아오는 답은 의외였다. 본인 중학교 때 아버님이 작고 하셨단다. 집이 급격히 가세가 기우는 것이 눈에 보였다고. 헉! 형제도 많았다. 본인은 넷째. 교육 지원에 대한 기회가 자신까지 안 올 것이 분명했다. 앞으로 다가올 삶에 짙은 안개가 보였단다. 뜨악! 하는 느낌이 들었다. 그때 돈 안 들이고 할 수 있고, 미래가 보장될 만한 것이 무엇인가 고민했다고 한다. 공부밖에 없었고, 몰두했단다. 선생님 눈에 띄었고 장학생이 되었다. 그 후부터 여러 사람이 도와주셨단다. 운이 따랐는지 유학도 다녀오게 되었다. 고생은 했지만 소중한 시간이었다는 대화를 마치고 이런 생각이 들었다. 머리가 좋아서만 명문대에 가는 것은 아니구나. 좌절의 순간 드는 자각이 삶의 영향이 크구나. 불평보다는 실천이구나.

　지인의 실천은 공부로 발현되었다. 하지만 기술이나 다른 것이 되었더라도 지금과 상응하는 위치에 있었을 거다. 본인에게 주어진 재능을 알아내서 몰두하자는 거다. 태어날 때 주어진 것이 적다고 탓하지 말자. 이건 시간 낭비다.

시간은 '자동'이고, 노력은 '수동'이다.

혜안은 언제쯤?

 복도에서 고개를 바닥으로 떨군 학생을 보았다. 직감적으로 느낌이 온다. 좋지 않은 일이 있구나. 아니나 다를까 눈이 마주치자마자,

"교수님은 언제쯤 혜안이라는 게 생겼어요?"
"혜안? 갑자기? 글쎄 나한테 그게 있어 보이니?"
"네! 교수님이시잖아요!"
"그게 나한테 있다면 그건 실수를 많이 해서 얻어진 것일 거야."
"네???"

 문득 떠오는 기억을 그 학생에게는 말했다. 글로 옮기기에는 창피한 에피소드이다. 나의 어리바리함이 알려질까 조금 두렵기도 하지만 한 번 적어보려고 한다.

 유학 시절 외국어는 나에게 넘어야 할 산이자, 짐이자, 업보 같은 것이었다. 언어는 능력이라기보다는 습관이다. 고등학교 시절 미술에 바빠 영어를 멀리한 것이 이렇게 나를 힘들게 할 줄이야. ㅠㅠㅠ. 대학교에 입학허가서를 받고 학기가 시작되기 전에 어학당에 다녔다. 하루는 도서관에서 '이름 사전'이라는 것을 발견했다. 성(Last name)에 대한 기원, 이름(First name)에 대한 의미 등등이 설명된 사전이었다. 유학 생활을 하려면 영어 이름 하나 있어야겠다는 생각이 들었다. 유심히 훑어보았다.

 누군가에게 나를 소개하려면 '내 이름은 ㅇㅇ입니다'라고 말해야 할 테니 가장 발음하기 힘든 알파벳이 이름에 있으면 연습도 하고 좋겠다 싶었다. 나의 입과 혀를 괴롭히는 알파벳은 'F, L, R'이었다. R이라는 놈은 너무 굴리면 느끼하고 안 굴리면 L 같고, F라는 놈은 아랫

입술을 꽉 스쳐 지나가야만 하니 참 순간적으로 발음하기가 여간 힘든 것이 아니었다.

찾았다. ALFRED! 'F, L, R'이 한 방에 해결되었다. 유레카였다. 의미를 찾아보는 지혜(wisdom)였다. 그 당시 모든 것이 나에게는 어버버의 연속이었다. 알프레드 히치콕(Alfred Hitchcock)이라는 유명한 영화감독도 있으니, 이거다 싶었다.

대학원 생활이 1년쯤 지났을 거다. 난 수업 조교로 알바하고 있었다. 별다른 책무는 없었다. 수업 전 스튜디오 문 열고 문 닫는 일, 가끔 기계 매뉴얼 질문에 답해주었다. 수업에서 친구가 생겼다. 미국인이었다. 나이는 좀 많은 편이었다. 다른 일을 하다가 대학원에 들어왔다고 했다. 느낌은 자유로운 영혼과 해탈이었다.

작업에 어린아이 목소리 녹음이 필요했다. 본인 지인 중 딸이 있다고 물어봐 주겠다는 거다. 친구의 도움으로 일이 잘 끝나고 잠깐 그 친구 집에 들르게 되었다. 집은 해변 앞에 있는 원룸 스튜디오였다. 기숙사에 살던 나는 처음 느끼는 광경이었다. 현관문을 바로 앞이 백사장이었다. 생경한 기분이었다. 그렇게 산책을 하게 되었다. 그 친구는 내 표정을 살피며 말을 꺼냈다.

"너의 이름 누가 지어준 거야? 혹시 Alfred의 의미를 알아?"
"내가 골랐지. 이름 사전에서. 의미도 좋아. 지혜야."
"근데 그 이름 요즘에는 잘 안 써. 그리고 지혜는 맞는데… 너 혹시 배트맨 본 적 있어?"
"봤지!"
"거기 나오는 집사 기억나?"
"알지! Alfred!"

"그런 느낌이야."

앗, 그제야 으악! 했다. 알아보니 Alfred라는 이름은 우리나라의 철수와 만수 시대의 이름이었다. 좋게 이야기하면 집사이고 거칠게 이야기하면 하인 같은 직업에 어울리는 뉘앙스를 가지고 있었다. 머리에 코미디 코너가 떠올랐다. 개그 콘서트의 '봉숭아학당'이었나… 어떤 주인과 하인이 등장한다. 주인은 세바스찬, 하인은 알프레도. '휴우우우' 여태껏 만인의 하인으로 불렸던 것인가.

나의 이름에 대한 후회는 그렇게 시작되었다. 하지만 바꾸지는 않았다. 살면서 이런 것 하나는 가지고 있어야 무언가를 선택할 때 신중의 신중을 기하겠구나 해서였다.

그 친구는 미안했는지 한국 이름이 무엇이냐고 물었다. 이제부터 한국 이름으로 부르겠다는 거다. 나의 이름에는 외국인이 발음하기 힘든 'ㅎ', 'ㅕ', 'ㄱ'이 있었다. 정햇, 종휵, 전훅… 한 번도 정확히 발음하는 사람은 없었다.

어느 날 복도를 지나가고 있었다. 뒤에서 낯익은 목소리가 들렸다. 종헷, 정혹, 준헷… 느낌이 왔다. 그 친구가 발음을 연습하고 있구나. 근접한 소리가 될 때까지 돌아보지 않았다. 거리가 가까워져 어깨를 쳤다. 본인이 맞게 부를 때까지 연습하겠다는 거다. 수업이 있는 날이면 이름을 불렀고, 나는 검지를 좌우로 흔들었다. 그 친구는 점점 미안해했다. 그래서 그냥 Alfred라고 불러라 했다. 그 친구의 얼굴이 환해졌다. 그렇게 만인의 하인이 되었다.

이름 사전에서 이름을 찾았을 때만 해도 유레카였는데 말이다. 그 친구를 통해 사전에 적혀있지 않은 진실을 알게 되었다. 그때 나에게 필요하다고 생각한 것이 '혜안'이었다. 그 후로는 정보 속에 있는 의미와 논리(Logic)를 찾으려고 노력했던 것 같다.

정보의 속성이 파악되면 변수가 생겨도 대응할 수 있을 것 같았다. 최선의 답을 찾게 되면 좋은 일이고 못 찾을 경우 차선책이라도 선택할 수 있겠다는 심정으로 말이다. 나의 삶 속에서는 한 번에 정답을 고를 수가 없었다. 하지만 실수를 줄여 정답 근처에 갈 수 있다고 생각했다.

실수는 경험치를 가져다준다. 나에게 혜안이 필요하다고 물었던 학생도 언젠가는 혜안을 가지리라 응원한다.

'한다'보다 양질의 실천이 필요하다

 어떤 학생이 수업에 지각했다. '스토리텔링' 이야기를 만드는 수업이다. 지각하면 그럴싸한 이유를 말하고 다른 학생들의 공감을 얻으면 지각 처리 안 하겠다고 했다. 물론 그 이유는 꾸며낸 이야기, 일명 '뻥'이어도 된다. 기억나는 지각 이유는 이거다.

 "늦게 일어나서 서둘러 준비하고 집을 나왔다. 나와서 버스를 기다리고 있는데 무언가 이상했다. 아래를 내려다보았다. 바지를 안 입고 나온 거다. 집에 돌아가서 바지를 입고 오느라 늦었다."

 이 정도면 충분하다. 하지만 대부분의 지각 이유는 진부하다. 버스를 놓쳐서, 늦잠을 자서, 할머니가 아프셔서… 등등.

 시크했던 한 학생이 기억난다.

 "이유는 수업 끝나고 말씀드리겠습니다. 개인적인 것이 있어서요."

 이런! 반항아인가? 진짜 무슨 이유가 있나? 학생의 안색이 심상치가 않기에 수업을 진행했다. 그 학생은 수업 내내 표정을 숨기고 있었다. 쉬는 시간에 조용히 옆으로 왔다. 죄송하다며 아침에 부모님과 말다툼이 있었고, 그래서 늦었다고. 수업 끝나고 자세히 말씀드리겠다는 거다.

 "교수님은 20대에 어떤 말이 제일 듣기 싫으셨어요?"

 질문이 훅하고 들어왔다. 지각한 이유를 듣지도 못했다. 문득 옛날 기억이 났다. 20대에 듣기 싫은 말. 그것도 부모님으로부터….

"정직하게 살아라.", "성실하게 살아라.", "남들 놀 때 다 놀면 언제 성공할래." 이런 것들이었던 것 같다.

"별다를 게 없군요. 한다고 하는데 왜 부모님은 성에 안 차는 거죠?"

나의 20대도 비슷했던 것 같다. 나름 한다고 하는 중에 이런 말을 들으면 '욱' 반항이 솟아났던. 부모님 눈에 비친 나의 모습도 이 학생과 비슷했을 거다.

작업을 완성하는 시간 전체가 3시간이라면, 생각하는 시간 2시간, 만드는 시간 1시간. 만들려면 구상하는 시간이 필요하다. 지금 놀고 있는 것이 아니고 아이디어 구상하고 있는 거야. 머리를 썼으니, 뇌도 일을 했으니, 휴식이 필요해. 휴식 30분. 본 제작 30분. 자, 이제 만들기 시작이다. 시각적으로 보일 정도의 결과물을 만들려면 30분으로 부족하네. 내일 하자. 사람이 할 일이 있다는 것은 좋은 거야.

부모님 시선에서는 내가 일한 시간은 30분일 거다. 그때 들은 부모님의 한마디에 반항한 나의 '욱'은 아마도 내 자신을 향했을 수도 있다.

작업시간은 풍선 같다. 어느 한쪽을 누르면 다른 한쪽이 튀어나온다. 결과물의 수준을 고퀄리티로 유지하기 위해서는 물리적인 시간의 분배가 필요하다. 놀다 보면 늦게 자게 된다. 수면시간이 부족하다. 몸도 쉬는 시간이 필요하고 뇌도 필요하다. 양질의 에너지를 발휘하려면 컨디션은 70% 정도를 유지하는 것이 좋다. 컨디션은 작업에 큰 영향을 준다. 결과물의 퀄리티는 나의 능력으로 환원된다.

만약, 작업의 방향성이 잡혀있고, 작업에 집중할 컨디션이 좋고, 작업의 변수를 요리할 노하우가 있다면, 3시간은 큰 시간이다. 작업할 때마다 3시간을 높은 집중력으로 몰입할 수 있다면, 작업 퀄리티는 높아질 거다. 창작 작업은 시각적으로 보이는 결과물의 퀄리티가 능력이다. 노동집약적 작업보다는 창작 작업일수록 그렇다.

자기 확신을 위해 하루에 한마디씩 자신에게 칭찬하기!

"잘하고 있어!"

보다는 조금 더 구체적으로 표현하자.

"오늘 일찍 일어났네. 잘했어. 아침을 일찍 시작하는 걸 보니

좋은 일이 생길 거야!"

가치를 잡자

대학교 3학년 무렵이면 취업을 생각하게 된다. 학생들의 취업 목적은 다양하다.

"취업하는 것이 좋을까요? 프리랜서가 좋을까요? 이제는 결정할 때가 된 것 같아서요."
"고민이 많겠구나."
"교수님은 직업을 선택하실 때 뭐가 우선순위였어요? 적성? 가치관? 돈? 성취감?"

직업 선택을 위한 우선순위에 대한 고민. 요즘 같은 취업난 시기에 낯선 질문이었다. 대부분은 돈을 좇아 취업을 결정하는데 말이다. 내심 반가웠다. 자신의 '업'에 대한 심사숙고와 가치판단.

하지만 요즘 같은 사회적 분위기에서는 이런 질문에 답하기는 어렵다. 내가 직업을 선택할 시기만 해도 낭만도 있었다. 남들이 취업하니 나도 해야지가 아니었다. 시간의 흐름도 지금보다 느슨했다. 변화도 더디었다. 한 가지에 10년 정도 매진하면, 먹고 사는 데는 큰 문제가 없었다.

그 학생의 질문에 대해 답했다.
직업의 방향성, 직업군의 특성. 연봉에 대한 현실성.

못다 한 이야기가 있다. 직업군에 대한 현실적인 이야기 말고 취업의 끝에서 만나게 될 이야기.

취업? 프리랜서? 어떤 삶이 가치가 있을까?

일을 하고, 관계를 맺고. 이렇게 저렇게 인생을 살게 된다. 중년의 나이가 되었을 때를 상상해 보자. 마음은 2, 30대이지만, 사회에서 바라는 태도는 어른인 시기. 지금까지 해온 일보다 앞으로 할 수 있는 일이 적게 남은 시기. 변화를 할 수 없기에 관성에 의해 계속 걷던 길을 걸어가야 하는 시기 말이다.

무엇을 위해서 일을 했는지, 어떤 삶을 추구했는지, 어떤 관계를 만들며 살았는지. 생각하며 웃을 수 있다면 인생은 해피엔딩일 거다.

만약, 열심히 일하여 돈을 많이 벌어 성공했다는 말을 듣는다고 하자. 하지만 돈을 번 이유가 생각이 나지 않을 수 있다. 최선을 다해 한 일들의 가치가 생각나지 않을 수 있다. 성공의 척도는 돈만으로 정할 수는 없다. 돈은 중요하다. 하지만 돈이 내 인생의 전부이기에는 초라할 수 있다.

내게 의미가 있는 가치는 무엇인가? 그 가치를 얻고자 살아가려면 어떤 직업을 선택해야 하는 걸까? 돈은 나에게 어떤 가치가 있을까? 작은 한 걸음이라도 그 가치를 향해 가려면 지금 어떤 것을 선택해야 하는 걸까?

이런 밸런스 게임 같은 답들이 모여 나의 행보는 정해질 거다.

숨겨진 10분을 내 것으로 만들자

"요즘 어떻게 지내?"

"바빠요!"

"좋네, 바쁘게 사는 게 좋은 거지. 파이팅!"

"근데 뭔가 허전해요. 일에 쫓기다 보니 정작 저에게 쓸 수 있는 시간은 없더라고요."

가끔 이런 졸업생을 만난다.

겉모습은 잘살고 있는 것 같은데 눈은 반짝임이 없는…

'바쁘게 산다'라는 말로 포만감이 있다고 하는데 윤기 없어 보이는…

"일정 조절을 해봐. 쉬면서 해야지."

"그러게요. 일 들어올 때 노 저어야죠. 하하하."

"하루에 몇 시간 자니?"

"네? 뭐 많이 잘 때도 있고, 적게 잘 때도 있고요."

"뭐… 평균적으로?"

"대충 7시간 정도 자는 것 같아요."

"그럼, 6시간 50분만 자고 10분은 너에게 써."

"네? 10분으로 뭣해요? 웹툰이나 볼 수 있을까?"

하루에 10분을 나에게 쓴다고 생각해 보자.

일주일이면 10분×7일 = 70분.

이렇게 한 달을 보내면 70분×4주 = 280분,

한 시간이 60분이니 4시간 40분이다.

이 시간을 활용해 뭘 할 수 있을까? 쪼개진 10분을 어디다 쓰나? 하는 생각이 들 수 있지만 계산을 계속해 보자면 이렇다.

하루에 10분씩 일 년을 모았다면,
280분×12개월 = 3,360분 = 56시간이다.
하루에 일하는 시간을 8시간이라고 생각하면 7일이다.

하루에 10분을 찾으면 일 년 뒤에 7일을 번 셈이다. 7일이 나에게 주어지면 무엇을 할 수 있을까? 읽고 싶었던 책 한 권은 충분히 읽을 수 있을 거다. 보고 싶었던 드라마 몰아보기도 가능할 거다. 운동과 휴식으로 재충전을 할 수 있을 거다.

계산을 반복하니 지루한 감이 있다. 마지막으로 계산을 해본다.
10년을 이렇게 생활했다고 생각해 보면,
7일×10년 = 70일 = 2개월 10일.

하루에 10분을 찾은 사람은 10년 후에 2개월 10일이라는 시간을 얻은 셈이다. 하루에 10분이 힘들어 5분이라도 챙겼다면, 1개월하고도 5일이 생긴다.

'한 달 살기'를 하며 다른 환경, 다른 공기, 다른 사람들을 만나며 책도 보며 재충전을 할 수 있을 거다. 이렇게 생각 패턴을 변화한다면, 생활도 윤기가 생길 거다.

늦게 걷기를 시작한 20대에게

"급해 보여. 작업이 막 날아다녀. 서두르지 말고 차분히 진행해 보면 어떨까?"
"그런가요?"
"혹시 재수했니?"
"아니요. 3수 해서 왔어요."
"조급한 마음은 알아. 급할수록 한 땀 쉬어가야 해."
"음… 힘이 드네요."

출발이 늦은 경우가 있다. 이럴 때는 이런 담대한 멘트가 필요하다.

'그래서! 뭐!'

인생은 큰 그림이다. 꼭 프롤로그부터 시작할 이유는 없다. 조금 늦게 시작했다고 끝도 늦게 만나는 것은 아니다. 일반적이고 보편적이고 상식적인 틀에서 벗어난 것도 아니다. 종종 뉴스에서는 '최초', '최연소', '최단기'라는 단어들을 뿜어내며 열광한다. 현혹되지 말자. 내 인생이 이런 열광적인 단어로 출발하지 않더라도 두려워 말자. 지름길이 빠른 길일 수는 있다. 하지만 그 길이 아름다운 길일지, 볼거리가 많은 길일지, 깨달음이 있는 길일지는 모르는 일이다. 그들에게 그들의 길이 있고, 나에게는 내 길이 있다.

그 학생에게 못다 한 말은 이렇다.

주변 환경과 비교하지 말자.
늦었다고 생각하지 말고 시작을 위한 준비시간이 길었다고 생각하자.
늦은 데는 늦은 이유가 있다. 그 이유는 파악해야 한다. 만약 나로 인한 것이 아니면 하늘의 뜻으로 받아들이자.

 지나간 시간은 마음에 두지 말자.

 늦은 만큼 열정을 다하면 된다.

 누구나 멈춘 시간을 만난다. 이 시간에 정신이 멈추면 후회가 되고 깨어있으면 경험치가 된다.

 출발점에서 1~2년 차이는 커 보일 수 있다. 그러나 성취점에서 보면 길지 않다. 성취는 늦은 출발과 비례하지 않는다.

 앞을 보며 이 순간에 집중을 다하자.

나는 너를 믿는다.

잘될 거야! 파이팅!

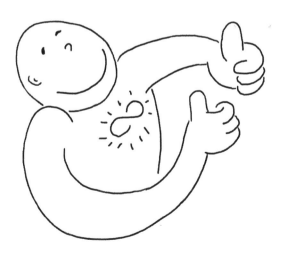

창작 작업 단어는 추상적이다

"이번 작업은 긴 호흡으로 가져가야 하고, 템포 조절을 해야 하고, 톤이 유지되어야 밀도가 올라갈 거야."
"네???"

작업을 처음 접하는 학생에게는 참! 귀신 씻나락 까먹는 소리이다. 나도 학생 시절 이런 종류의 말을 이해하는 데 오랜 시간이 걸렸던 것 같다. 요가를 처음 시작했을 때도 그랬다. 강사도 같은 사람인데 알아들을 수 없는 말을 하니.

"양팔을 펼쳐 '산' 자세를 만드세요. 손바닥으로 우주의 기운을 느끼세요. 발바닥에서 정수리까지 길항을 만들어 주세요. 집중하세요. 에너지가 척추 마디마디를 타고 내려갑니다. 호흡이 몸을 지배하도록 하세요."

이런 말을 들으면 머리가 몸을 움직여야 하지만, 어떻게 움직여야 할지 멍하게 만든다. 그러나 요가를 시작한 지 1년쯤 지난 지금은 혼자서도 잘한다. 처음 해보는 작업도 그렇다. 처음에는 생경하게 들리는 단어가 한번 경험하고 나면 그렇게 표현되는 이유를 안다. 추상적인 표현이지만 전달력이 확실하다는 것을 느낀다.

창작자는 기획에서 완성까지 모든 단계를 책임진다. 첫 단계는 아이디어 구상과 기획이다. 창작은 새로운 것을 만드는 성격이 강하다. 머릿속에만 있기에 실체가 눈에 보이지 않는다. 그래서 구상과 기획에 대한 설명은 하는 사람이나 듣는 사람이나 추상적인 단어를 사용할 수밖에 없고 추상적으로 느껴질 수밖에 없다.

추상은 구상보다 낯설다. 그렇다. 하지만 세상에 없는 것을 만드는 것을 만들어 내는 발명은 아니다. 처음 단계부터 등장하는 단어들이 추상적이라고 창작 작업에 겁을 먹거나 거리감을 느끼지는 말자. '작업의 성격이 그런 거다'라고 생각하자.

창작 작업의 성격은 이렇다.

- 구상과 기획 단계에서 손으로 직접 만드는 제작, 제작된 작업을 돋보이게 하는 마무리까지 일체형이다.
- 그 일련의 과정들은 가이드라인은 있지만 매뉴얼은 없다.
- 이 부분까지 내가 하고 다음 부분은 다음 사람이 하는 분업화가 쉽지 않다.
- 구상과 기획은 진행 과정이 눈에 보이지 않는다. 아이디어가 발현되는 순간도 제각각 다르다. 어떤 사람은 10분 만에, 어떤 사람은 며칠.
- 접근 방법도 다양하다. 한 번에 한 가지만 해야 하는 사람이 있는가 하면 한 번에 여러 가지는 동시에 해야 잘 되는 사람도 있다.
- 막힌 구상을 푸는 장소도 가지각색이다. 카페, 좁은 다락방, 조용한 도서관, 개방감 있는 고수부지, 은은한 조명 아래… 등등.
- 같은 작업이어도 경우에 따라 다르다. 어떤 경우는 효율적인 방법을 추구하고 어떤 경우는 한 땀 한 땀 꼼꼼히 진행해야 하기도 한다.
- 작업하는 사람마다 감성이 다르다. 같은 의미를 말하고 있지만 선택하는 단어가 다르다. 다름을 인정하고 들으면 작업도 이해되고 사람도 보인다.

여러 단계의 어려운 과정을 거쳐 완성물이 되었다. 이제 마지막 단계가 남아있다. 누군가에게 보여줘야 한다. '이것이 창작물이다'라고 말하는 단계이다. 이 단계는 아티스트 감성을 가진 대부분에게 어렵다. 이런 생각으로 만들었다고 말한다는 것. 보여짐을 통해 듣게 되는 코

멘트. 날것이 된 것 같은 기분이다.

 완성물은 이 단계를 거쳐 가치가 정해진다. 어떻게 보여지느냐, 어떤 것을 보게 되느냐에 따라 말이다.

Input이라는 '그분'

가끔 학생이 머리카락을 쥐어 잡고 이렇게 물어올 때가 있다.

"아~~ 미치겠어요. 좋은 아이디어는 언제쯤 나올까요?"
"좋은 아이디어라…."
"그분이 오시면 한 방에 해결인데… 안 오시네요."
"그분도 가고 싶은 곳에 골라서 가시지."

새로운 아이디어를 구상할 때 언제 좋은 아이디어가 나올지 답답하다. 구상의 출발점을 어디서부터 해야 할지 의구하다. 상상이 상상을 잉태하다가도 어느 선에서 멈춰질지 걱정이다. 주제와 근접거리에 있는 생각만 떠오르고 관통하는 포인트는 안 떠오른다. 좋다고 생각되는 아이디어가 마구 쏟아져 나오다가 한번 막히면 아무리 쥐어짜도 뇌가 멈춰버리기도 한다.

아이디어 구상을 볼륨처럼 조절할 수 있으면 좋겠다. 그분이 항상 내 곁에 있었으면 좋겠다.

새로운 아이디어는 대략 이런 과정을 거친다.

- 무엇인가를 관찰한다. 기존의 것과 다름, 특징, 독특함 등을 찾는다.
- 아이디어로 연결될 소스들을 발견하게 된다.
- 소스를 토대로 여기서 멈추지 않고 연관된 정보들에 대해 조사한다. 그것에 대하여 A부터 Z까지 또는 연결고리가 있는 자료들을 살펴본다.
- 이 과정들을 반복하다 보면 정보가 쌓인다. 정보들은 살아서 움직이듯 하다. 머릿속에 있는 정보들은 서로서로, 끼리끼리, 연결고리가 생

겨난다. 정보가 변형되기도 하고 증식되기도 한다. 이렇게 정보들은 스스로 배양된다.

- 머릿속에 있는 정보가 촉발을 통해 (새로운) 아이디어가 탄생한다. 그분은 촉발 때 온다.

촉발이 오려면 정보가 어느 정도 쌓여있어야 한다. 평상시에 Input을 위해 전시 관람, 전문 서적, 인문학 도서, 이미지 검색 등등을 꾸준히 하는 것이 좋다. 일정량의 정보들이 있어야 정보들이 살아서 움직인다. 만약 뇌에 정보가 2개 밖에 없다면, 아무리 영감과 감각이 좋아도 2개의 변형(variation)형일 것이다. 뇌에 정보가 200개 있다면 그 변형도 그 숫자만큼 다양하다.

수학 문제 푸는 것과 비슷하다. 먼저 숫자를 알아야 한다. 기본 공식을 익힌다. 다양한 공식이 머릿속에 있으면 여러 가지 방법으로 풀이를 시도할 수 있다. 풀이를 반복하다 보면 속도도 붙고 새로운 방법도 찾는다. 새로운 문제를 만났을 때 바로 답을 구하지 못하더라도 어떻게 접근하면 될지? 푸는 데 얼마나 걸릴지? 감이 생긴다.

'어떤 정보들이 뇌에 있느냐'도 영향을 준다. 아이디어가 필요한 주제나 테마의 영역에서 얼마나 근접거리에 있는가가 중요하다. 너무 중심에 있다면 '다큐'일 것이고 너무 떨어져 있으면 '판타지'일 거다.

아이디어 구상을 힘들게 생각한다.

왜???

새로운 아이디어가 떠오르지 않을 수도 있을 거라는 두려움. 이런 심리적 경향은 아이디어 구상의 걸림돌이다. 결과물이 완성되고 나면 결국 답이 있었던 거다. 그러니 새로운 아이디어도 답이 있다. 그 답이 지금 눈에 보이지 않을 뿐이다.

 답을 찾아가는 과정을 즐기자.
머리를 쥐어뜯지 않고 웃으면서 구상하는 그날까지. 파이팅!

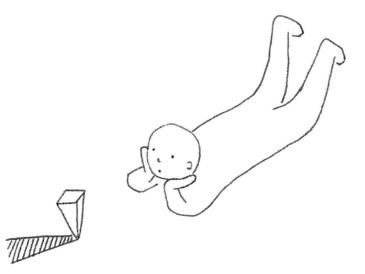

작은 성취감이 필요해

젊은이여 야망을 가져라!
큰 꿈을 가져야 중간이라도 이룬다!
꿈이라도 크게 갖자!

청소년 시절부터 이런 이야기들을 귀가 따갑게 듣는다. '커서 뭐가 되고 싶냐?'는 질문과 함께 말이다. 이럴 때마다 강요받는 것은 큰 그림을 그리라는 거다. 이상을 높게 갖고 큰 꿈을 꾸며 자신을 추슬러가는 면에서 긍정적이다. 이런 긍정적인 면과 본인의 팔자가 만나 젊은 나이에 두각을 나타내기도 한다.

일명 '영 & 리치'

부럽기도 하다. 주목도 받는다. 화려해 보인다. 미디어에서 많은 시선을 받아 크게 보인다. 하지만 숫자로 따지면 몇 사람 안 된다. 운만 가지고 젊은 나이에 성공할 수만은 없다. 그들도 그들만의 고충과 노력이 있다. 이건 Respect~~.

대부분의 경우는 현실 속에서 한 발 한 발 쌓아가야 한다. 바라는 미래를 위해 한걸음. 더디게 느껴지고 막막하기도 하다. 이렇게 해서 언제나 내가 원하는 것을 이룰까? 라는 의구심도 든다.

실망하지 말자. 그날은 온다. 지금은 멀리 있어서 뿌옇게 보일 뿐이다.

20대에게 작은 성취가 필요하다. 작은 일을 행하고, 만족하고, 작은 일을 행하고, 이루고. '이렇게 하니 되는구나!', '하니 되네!'라는 작은 확신들이 모여 자존감을 만드는 거다.

아주 작은 성취감부터 실천해 보자.

- ✧ 오늘은 아침에 알람 소리 듣고 바로 기상했어.
- ✧ 이번 과제를 성공적으로 마무리했어.
- ✧ 이번 학기 내가 정한 일정을 잘 소화했어.
- ✧ 알바를 해서 월급을 받았어.
- ✧ 작은 공모전에서 입상했어.
- ✧ 팀플에서 의견 조율을 잘해서 결과도 좋았어.
- ✧ 5만 원으로 1주일 살기에 성공했어.

작은 실천들과 성취감은 언제가 나를 성공의 자리로 안내할 거다. 본인이 천천히 뜨는 별이라면 자신에게 말하자.

"빨리 뜨는 별은 빨리 진다. 난 지금 힘을 모으고 있는 중이야. 기다려! 나는 뜨는 별(rising star)이 될 거야!"

과정 중 바뀌어도 내 것이다

"작업에 의욕이 잘 안 생겨요."
"무슨 작업인데? 왜?"
"제가 처음 생각한 것과 넘 달라져서요."
"처음 생각한 건 뭐고? 달라진 건 뭔데?"
"첫 아이디어가 마음에 들었거든요. 그래서 시작한 건데요. 피드백을 듣고 고치고 고치고 하다 보니 처음 아이디어랑 넘 멀어져 있는 느낌이 들어서요."

'내 것이 아니다'라고 느낌. 작품의 정체성을 잃었다고 생각한다. 작업하는 사람이라면 내 생각을 표현하고자 하는 욕구가 크다. 창작의 에너지이기도 하다.

이런 대화는 조심스럽다. 내 수업이 아니기에 망설였다. 작업 이미지를 보며 과정에 대해 들으면 정확히 원인이 파악되겠지만 말이다.

그냥 '믿고 해봐. 뭔가 배우겠지. 그렇게 바뀐 데는 이유가 있을 거야'라고 말할 수 없다. '교수는 다 똑같아' 내지는 '같은 직업군의 사람이니 다 그렇지 뭐'라는 오해가 생길까 봐. 이런 벽이 생기면 대화가 진행이 되지 않으니.

"넌 뭐가 마음에 드는 거야?"
"이 아이디어 만들려고 며칠을 고민하면서 보냈는지 몰라요. 원래는 4개의 이미지를 각각 따로 표현하려고 했거든요. 그런데 4개의 이미지를 한 장으로 표현하게 된 거죠. 거기까지는 오케이예요. 근데 이미지의 인물과 포즈가 격이 안 맞아서 수정해야 한다는 거죠. 하지만 정말 원안대로 하고 싶었는데 말이죠."

63

어떤 내용인지 궁금했다. "작품 사진이라도 있냐?"고 물었다. 초안만 볼 수 있었다. 짐작으로는 콘셉트를 바꾸기보다는 4개의 이미지를 한 개로 표현해 볼거리를 주자는 의도인 것 같았다. 인물과 포즈로 의미를 표현하는데 균형 맞추기 위한 제안인 듯 보였다.

이 학생은 이미지의 구성 수정을 '콘셉트 수정'이라고 오해하는 듯했다. 작업을 하다 보면 한 번쯤은 오는 고민이다.

'나의 아이디어가 얼마나 구현될까?'
'최종 결과물에 얼마나 반영되어야 내 것이라고 할 수 있을까?'

시각적인 결과물을 만들어 내는 분야에서는 이해해야 할 점이 하나 있다. 작업의 과정이 중요한 것이 아니다. 작업의 규모가 클수록 더하다. 관객, 클라이언트, 시청자 등 보는 사람에게 보이는 결과물, 그 자체로 말해야 하는 작업이다. 영상물이 방영될 때마다 시청자에게 의도와 과정을 설명할 수는 없는 일이다.

나의 생각이 최종 결과물에 얼마가 묻어있는가는 중요한 점이 아닐 수 있다는 거다. 반대로 이야기하면, 내가 1%라도 참여한 작업은 내 작업이라고 말할 수 있는 거다. 영화가 끝나면 크레딧이 보인다. 참여한 수많은 스텝의 이름을 보여준다. 이름이 있는 한 내가 만든 작품이다.

시각적으로 보여주는 작업을 업으로 삼겠다고 결정하면 이 메커니즘을 이해하면 고민이 많이 줄어든다.

다시 그 학생의 이야기로 돌아가면,

작업하다 보면 내 아이디어가, 내 이미지가, 내 글이 '최고'라고 생각한다. 작업하는 사람이라면 이런 '자뻑'이 필요하다. 이런 '자뻑'이 창작의 동력이 되니 말이다. 이 학생에게는 자뻑 파워가 있다. 자뻑 파워를 활용하려면 생각에 유연성과 객관성을 동반해야 한다.

 자뻑 힘! 생각의 유연성! 좋은 것은 좋은 것으로 인정하는 객관성!

 생각의 유연성은 과정에서 만나게 되는 오류에 대한 대응 여유이다. 아이디어 구상에서 작업을 마무리하기까지 많은 과정이 있다. 모든 과정이 본인이 예상한 대로 진행되면 좋다. 하지만 그렇지 않은 경우가 생기기 마련이다. 특히 창작(해보지 않은, 처음 해보는) 작업은 오류를 많이 만난다. 오류를 수정하는 것에 기분이 나빠지거나, 자존심이 상하거나, 자존감이 떨어질 이유가 없다. 오류는 작업의 일부분이다. 오류가 발생해야 완성도가 높아진다.

 오류를 만나 수정하는 과정에서는 객관성이 필요하다. 좋은 것을 좋다고 판단할 수 있는 객관성. 좋은 것을 선택하는 객관성도 필요하고 나쁜 것을 버리는 데도 객관성은 필요하다. 수정은 한 번일 수도 있지만 여러 번 반복되는 경우가 많다. 저울질과 선택의 연속이다. 판단의 기준에 혼란스러운 순간이 오기도 한다.

 마지막 한 가지는 노력한 시간을 보상받을 수 없다는 거다.

"이 아이디어 마음에 들어요. 제가 얼마나 많은 시간을 들여서 고민했는데요!"
"그래? 얼마나?"
"네. 일주일은 고민했을 거예요!"
"음……."

고민한 시간과 결과는 비례하지 않는다. 우리의 문화권에는 이런 말이 있다. '정성을 다하면 안 될 것도 된다.', '잘 되려면 마음과 정성을 다해라' 준비 과정을 중요시하는 정서가 깔려있다.

1주일에 걸쳐 창출한 아이디어 = 좋은 아이디어
30분 만에 창출한 아이디어 = 부족한 아이디어

오랜 시간과 정성을 들이면 좋은 아이디어가 나온다는 공식은 없다. 30분 만에 나온 아이디어가 부족하다는 공식도 없다. 만약 30분 만에 좋은 아이디어가 만들어졌다면 구상을 위해 Input의 시간들을 보냈을 거다. 눈에 보이지 않는 시간이지만 분명히 있다.

결국 이 학생은 수정을 결심하는 것 같았다. 내 수업이 아니니 최종 결과물을 보지는 못했다. 작업에 있어서 오류를 즐길 줄 안다면, 오류는 능력 성장의 계기가 될 거다.

걱정은 그만, 지금 필요한 건 터닝 포인트!

복학을 한 학생이 찾아왔다.

"오래간만이네. 휴학하는 동안 뭐했니?"
"네. 운이 좋아서 미국의 한인방송국에서 일했어요."
"오~ 좋은 경험했네. 한인방송국은 어디 있니?"
"뉴욕이요. 좀 다르더라고요. 왜 제 눈이 좀 촌스럽다고 하는 줄 알겠더라고요. 하하하~ 근데 단순노동이라 졸업하고 할 일은 아닌 것 같아요."
"졸업하면 뭐 하고 싶은데?"
"글쎄요. 생각 중이에요. 저작권이 생기는 일을 하고 싶은데 재주가 없는 것 같고, 단순한 일은 하기 싫고… 그래요. 하하하~."
"몇 학년이지?"
"이제 3학년 돼요."
"2년 열심히 살아야겠네!"
"네. 학교 다닐 때 열심히 살았던 선배들은 자기 원하는 것 하면서 사는 것 같더라고요."
"알면 그렇게 하면 되지. 근데 요즘 좀 바빠 보이던데?"
"알바 때문에… 좀 그렇죠. 용돈 벌어서 쓰다 보니… 하하하~."

주중에는 학교 과제하고 주말에는 유튜브 영상편집 알바를 한다고 했다. 알바로 용돈에 여유가 생겨서 좋다고 했다. 마감 치느라 일요일 새벽까지 알바 마무리하면 월요일은 쉰다고 했다. 주중 밖에 과제 할 시간이 없어 좀 부진하다고 했다.

사람은 뭔가를 하면 휴식을 취해야 한다. 정신적으로나 체력적으로도 그렇고, 보상 심리도 있다. 맞다. 알바로 번 돈은 달콤하기까지 하다.

만약 학비를 부모님께서 해결해 주시면 더욱 그렇다. 미래에 대한 걱정은 머릿속에만 있다. 하물며 어떻게 실천하면 되는지도 알지만, 몸과 마음은 현실의 유혹을 따르고 있다.

지금은 터닝 포인트가 필요하다.

대화 중에 본인도 이것을 알고 있다고 했다. 학교생활, 알바, 미래 준비. 이 세 가지의 균형을 맞추기가 힘들다는 것을. 균형을 맞추려면 알바를 조금 줄이고 미래 준비에 더 치중해야 한다. 알바를 줄이면 용돈이 줄 테니 생활의 재미는 떨어질 거다. 마음을 움직이기 어렵다.

터닝 포인트를 잡을 계기가 필요하다.

"졸업하고 취직하면 초봉으로 약 30,000,000원 정도 받는다고 가정해 보자. 지금 알바로 얼마 벌어?"
"주급으로 받으니까… 한 달에 백만 원 조금 넘어요."
"1,300,000원이라고 하면 연봉으로 15,600,000원을 버는 거네."
"그렇죠."

알바를 하면서 학교생활도 충실해서 미래 준비가 되어 사회에 나갈 준비가 되어있다면 최고이다. 그러나 알바를 줄이지 못하고 자기 계발을 하지 못하면 졸업 후 취업 준비가 필요하다. 1년 정도가 소요된다. 회사들도 신입사원은 졸업 시기에 맞춰서 뽑으니.

그럼 1년이라는 준비기간 동안 계산을 해보자.
용돈으로 약 10,000,000원
자기 계발을 위해 학원에 다닌다면 약 5,000,000원

취업 준비 1년 동안 15,000,000원을 쓰게 된다.

연봉 30,000,000원 받은 사람과 비교하면 1년 지나면 45,000,000원이 차이가 난다. 직장생활 1, 2년 후 이직할 경우, 몸값은 신입보다 높게 책정된다. 2년 후 이직하면 5천 정도 받는다고 가정하자. 만약 취업 준비로 2년을 보내게 된다면 격차는 더 벌어진다. 약 1억 넘게.

"아~~ 그러네요!"

"내 계산이 맞을 거야."

"저를 재정비해야겠네요."

다음에 다시 오겠다는 말을 남기고 연구실을 나갔다. 나의 계산법이 듣기 싫어서 일 수도 있고, 정말 동기가 부여되어서 일 수도 있고. 선택은 본인이 하는 것이고 인생의 책임도 본인이 지게 된다.

몇 년 후, 이 학생을 길거리에 만난다면 미소로 인사 나누기를 바란다.

'성공의 미소'라기 보다는 본인이 하고자 하는 일을 하고 있는 '만족의 미소'로.

나는 '미래의 나'를 위해 어떤 실천을 하고 있을까?

망설이지 말고 저지르자

인생의 흐름을 보면 20대~30대가 가장 많이 성장한다. 이 시기의 성장은 '증량'이다. 외형적 변화보다 본인의 가지고 있는 성향과 성질에 값이 늘어난다. 정신적으로 성숙, 경제적으로 발전.

성장은 과도기를 거친다. 바뀌는 시기이다. 변화는 동요와 불안이 동반한다. 본인에게 일어나는 새로운 일들을 경험, 지식, 정보에 의존하여 감당한다. 다소 벅찰 수도 있다. 지혜가 더 필요할 때이다. 정신적 능력과 마음의 작용으로 감내해야 하는데 아직은 서툴다. 그래서 정신적으로 흔들릴 때가 있다.

인생은 한 번이다. 고민하며 움츠리고 있어도 한번, 앞으로 나가며 성취해도 한번. 시간은 흐른다.

주체적인 삶의 시작이나 독립적인 홀로서기가 성장의 시작일 거다. 성장에는 '몰입과 자기 확신'이 필요하다. 몰입하면 예측할 수 있다. 본질을 파악하고, 경우의 수를 생각하고.

앞으로 일어날 변수들을 시뮬레이션해 보자. 일어나는 상황들에 대한 지혜를 적용해 볼 수 있다. 최소한 '최선'이 아니더라도 '차선'을 선택할 수 있다.

몰입하려면 먼저 자기 확신이 있어야 한다. 자성적 예언이기도 하다. 강한 믿음이 확신이 되고, 강한 확신은 자기 예언이 된다. 본인이 상상하고 바라는 것이 현실에서 충족되는 방향으로 간다는 것이다. 마치 운동선수의 이미지트레이닝과 같다. 특정 동작을 반복적으로 머릿속에 그려보는 것만으로 향상되는 거다.

자신이 희망하는 삶의 모습을 상상하며 마주하자. 이때 부정적인 생각은 하지 말자. 부정적인 감정이 찾아오면 없애려고 하지 말고 다른 생각을 하자. 마치 '노란색 아기돼지를 생각하지 마세요!'라는 말에 노란색 아기돼지에 대해 생각하지 않으려고 노력하는 대신 '사자 사진'을 봐서 노란색 아기돼지를 잊게 하는 것처럼 말이다.

한번 시작한 인생!
한번 가보는 거다!
쭉~~ 직진~~

자기 확신을 위한 심리적인 효과 : 로젠탈 효과, 기대효과,
피그말리온 효과, 플라세보 효과.

태어날 때 코드를 가지고 있다

대학 생활에 한 번쯤은 이런 고민을 한다.

'내가 정말 좋아하는 것이 무엇일까?'

예술대학에 오는 학생들은 이런 고민이 적은 편이다. 고등학교 때 자의에 의해 미술을 선택했으니. 그럼에도 불구하고 내가 정말 좋아하는 것은 무엇인지를 고민하는 경우가 있다.

"교수님 이런 질문드려도 되나요?"
"당근, 괜찮지. 말해봐."
"저는 음악을 하고 싶거든요. 지금 다시 시작하는 것은 바보 같은 일이겠죠?"
"음악? 몇 학년이지?"
"2학년이요."
"다시 한번 생각해 보고, 그래도 하고 싶으면 내일부터 시작해!"

사람이 태어날 때 '감각의 코드'를 가지고 태어나는 것 같다. 소리를 좋아하는 감각, 맛을 좋아하는 감각, 글을 좋아하는 감각, 숫자를 좋아하는 감각, 이미지를 좋아하는 감각, 새로운 것을 만드는 감각, 몸의 움직임을 좋아하는 감각, 향기를 좋아하는 감각 등등 다양하다.

본인이 좋아하는 감각 코드를 만나면 마음이 편안하게 느껴진다. 가끔은 가슴이 뛰기도 한다. 코드의 크기는 큰 한 개일 수도 있고, 작은 여러 개일 수도 있다. 코드를 10대에 찾을 수도 있고, 20대에 찾을 수도 있다. 보다 늦게 찾아오기도 한다. 늦으면 늦을수록 다른 일을 하다가 바꾸어야 하니 '용기'가 더 필요할 거다.

좋아하는 감각 코드는 깊이와 수치의 정도가 있다. 공연예술 분야의 한 지인이 생각난다. 감각의 수치가 높고 깊었다. 시종일관 공연에 집중하고 매진하는 모습이었다. 남들의 눈에는 힘들어 보이고 먹고살기 녹록지 않았다. 하지만 이 분야에서 일을 해야 숨을 쉴 수 있고, 때로는 아직도 설렌다고 했다. 이렇게 도드라진 감각 코드에 이끌려 한 분야에 몰두하는 경우도 있을 거다.

이런 지인도 생각난다. 그 당시 직업은 의사였다. 누가 봐도 부러운 직업. 그 지인은 사진가가 멋있어 보인다고 했다. 학창 시절에 공부밖에 몰랐고 남들보다 잘해서 의사가 되었다고 했다. 그러던 어느 날 자신의 직업을 버리고 사진작가를 하겠다고 사진기를 들었다. 생계를 위해 친구의 병원에서 시간제 의사를 선택했다. 전업 작가는 아니지만 자신은 행복하다고 했다. 한참 후에 만났을 때 지인의 얼굴은 생기가 돌았다. 예전보다 못한 경제력에 부인의 눈치를 좀 본다고 했다.

이렇게 감각 코드가 시간이 지나 발현될 수도 있다.

이런 과학 기사를 본 것이 생각난다. 씨앗 실험이었다. 씨앗을 냉동실에 넣었다가 일정 시간이 지나고 따뜻한 환경을 만들어 주니 새싹이 나왔다. 씨앗에도 추운 겨울이라는 시간을 지나고 따뜻한 봄이 오면 새싹을 피우는 감각 코드가 있는 것 같다. 우리가 감각 코드를 발견하고 발현되기를 기다리는 시간이 필요할 수도 있다.

만약, 감각 코드를 아직 못 찾았다면, 사색의 시간을 가져보자. 많은 시간이 아니어도 좋다. 하루에 5분, 혼자 차를 마셔도 좋다.

음악을 하겠다던 그 학생은 바로 휴학했다. 지금 어디선가 음악에 몰두하고 있을 거다. 실용음악과를 졸업했다는 소식까지 들었다.

후회는 No, No

"교수님, 할까요? 말까요?"
"해!"

"교수님, 하지 말까요? 해야 되나요?"
"하지 마!"

우리는 본능적으로 답을 안다. '할까요?'를 먼저 말하면 하고 싶은데 고민하는 거다. '하지 말까요?'를 먼저 말하면 하지 말아야 하는데 욕심이나 호기심에 이끌려 고민하는 거다. 늘 이런 질문을 해올 때면 그들의 질문에 귀를 기울인다. 답은 그들이 알고 있으니.

이런 고민을 물어올 때도 답은 정해져 있다.

"교수님, 하는 것이 맞을까요? 겁이 나서요⋯."
"지금 하는 것이 맞을 거야! 너를 믿어."

지나온 시간을 곱씹어 보면, '그때 그걸 할 걸 그랬어⋯' 하는 미련이 남는 일이 있다. 왜 그리 겁이 많았을까? 누군가 나에게 용기의 한마디를 건네주었다면 했었을 텐데 말이다.

지금 이 책을 읽는 사람 중 망설임이 있다면 본인에게 물어보자.

'할까? 말까? 하지 말까? 할까?'

10년 후에 '그때 할 걸 그랬어⋯'라며 후회하지 말자. 지금 용기를 내자. 하자! 지금!

멈춘 시간

 사회인이 된 졸업생들 학교 근처에 사는 이들이 있다. 간혹 길거리에서 만나기도 한다. 얼굴은 바로 알아보는데 이름은 입에서 맴돌며 바로 나오지 않는다. 미안한 마음이다.

 예상치 않은 소나기가 내리는 날이었다. 우산이 없어 상점 입구에서 비를 피하기로 하고 있었다. 요즘 소나기는 요란스럽다. 맞으면 샤워하는 수준이다. 빗줄기가 잦아들기를 기다렸다. 우산을 쓰고 가는 사람들을 부러운 마음으로 쳐다보고 있었다.

 "어 교수님~ 안녕하세요."
 "어~ 너~ 졸업하지 않았니?"
 "그럼요. 근데 아직 이 동네 살아요."
 "그래, 회사는 잘 다니지?"
 "아… 네…."
 "이 시간에 여기에? 땡땡이야?"

 친근감을 나타내려고 농담 반 진담 반 던진 말이다. 급하게 표정이 어두워졌다. 묻는 순간 아차 싶었다.

 "일이 좀 있어서요…."
 "아… 그래…."
 "월차 내고 처리하고 집에 가는 길이예요. 잘했는지는 모르겠지만… 교수님은 건강하시죠?"

 비를 피하는 잠깐 이야기를 나누었다. 이런저런 이야기로.

헤어지고 나니 고마웠다. '나보다 어른이네'라는 생각이 들었다. 던진 농담에 당황하고 기분이 나빴을 텐데도 건강하냐는 질문으로 분위기를 넘겨준 것이.

이야기를 나누는 동안 일이 꼬인 것을 알았다. 뭐라 조언이랍시고 말을 더하지 않았다. 힘들겠지만 충분히 이겨내고 조율할 수 있는 내공이 느껴졌다. 내가 할 수 있는 일은 마음을 더해주는 일 밖에는 없었다.

그 졸업생은 모르겠지만. '그날 이후부터 응원하고 있어! 잘될 거야!'

나중에 다시 만나면 커피 한잔하면서 이런 이야기를 전하고 싶다.

"희한해, 인생이라는 것이. 잘될 때는 기회가 두 배로 오고, 안 좋을 때는 아픔이 두 배로 와. 세운 목표를 향해 한 걸음 한 걸음 다가가는 것이 삶이라면, 걸음을 멈출 순간도 오더라고. 나로 인해 생긴 일이 아닌데도, 생각지도 못한 일들이 생각지도 않은 곳에서 터져서 오곤 하더라고."

"해야 할 일은 해야 해. 나를 멈추게 만든 일들은 시간이 지나가면 어찌어찌 지나가더라. 내가 해결한 것이 아니고 시간이 일을 해결하더라고… 멈춘 시간은 쓴맛일 거야. 단맛이면 좋겠지만. 약도 쓴 약이 몸에 좋다고 하잖아. 약 먹은 셈 쳐. 힘이 없더라도 해야 할 일은 해. 최소만큼이라도. 페이스를 놓치지 않을 만큼만이라도. 다시 시간이 가기 시작했을 때 뒤처지지 않게."

이렇게 말하면 너무 꼰대 같을까???

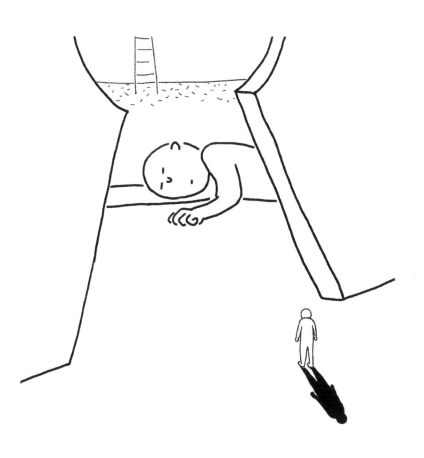

과거 10년 동안 후회되는 일이 있는가?

있다면 원인이 무엇이었나?

그 일의 대응은 어떻게 했었나?

지금이라면 어떻게 대응했을까?

앞으로 10년 동안 후회되는 일이 올 수 있다.

가끔은 나를 둘러싼 환경을 한 걸음 뒤에서 둘러보자.

조바심 버리고.

다트판

"어느 곳부터 건드려야 할지 모르겠어요."

"제가 하고 있는 것이 목표를 향해 잘 가고 있는 것인지 겁이나요."

"어디에 목표를 두어야 할지 모르겠어요."

신입생들에게 자주 듣는 걱정거리들이다. 목표에 대한 불안, 진행 과정 속의 불확신, 성취 확률에 대한 불투명. 새로 시작할 시기에 한 번쯤 고민하게 된다. 이런 생각들은 건강한 고민일 거다.

우리가 가끔 하는 게임 중에 '다트'가 있다. 아마도 한 번쯤은 다트 핀을 던져보았을 거다. 둥근 판에 칸이 나누어져 있다. 각각의 칸에 점수들이 적혀있고 안으로 갈수록 높은 점수이다. 정 가운데가 최고점이다. 다트 핀을 던졌을 때 처음에 정 가운데를 맞추는 경우는 아주 드물다. 확률적으로 적기에 가장 점수가 높을 거다.

좋은 점수를 내려면 균형 있는 자세로 그립을 잡고 타겟팅(targeting) 한다. 중앙이거나 원하는 점수 칸을 조준한다. 큰 면적에서 점점 좁혀가며 던지기 연습을 한다. 어떤 경우는 다트 핀이 다트판을 빗나가 벽을 맞춘다. 연습하다가 보면 방법을 생각해 보게 되고, 익숙해지며 실력이 생긴다. 더 이상 우연에 의존하지 않고 던진다.

인생 목표도 타겟팅이 필요하다. 한 번도 해본 적이 없는 새로운 일을 시작할 때, 목표를 다트 게임처럼 한 번에 정중앙을 맞히기는 힘들다. 세운 목표가 내 생각과 어긋나는 경우도 있을 수 있다.

큰 목표에서 작은 목표로. 목표를 구체적으로 설정하는 것이 좋다. 인생 목표처럼 큰 목표가 있는가 하면, 5년 동안의 목표, 1년간의 목표, 작게는 상반기 후반기 목표도 있다.

큰 목표는 거시적인 나침판 역할을 한다. 방향성을 제시하기에 욕심을 내서 크게 잡는 것이 좋다. 작은 목표는 발생하는 변수에 맞추어 그때그때 변경할 수 있도록 유연성을 갖게 한다. 현실적으로 잡고 하나하나 이루면서 성취감을 맛보는 것이 좋다.

설정하지 않은 큰 목표가 한 번에 이루는 것은 천운(天運)일 거다. 하늘이 정해준 운명 말이다. 지금은 일단 천운은 배제하고 목표를 잡아보자.

나의 '인생 다트판'을 그려보자
인생은 다트판은 정중앙이 가장 높은 점수이지 않아도 된다.
다트판에 나에게 맞는 점수판을 설정해 보자.

목표를 향해 가는 일!
목표를 이루는 일은 어렵다!
어렵기에 달성하면 행복감이 두 배이다!

과정이 중요해? 결과가 중요해?

"아빠, 난 머리가 좋아서, 미술 안 하고 공부를 했다면 잘했을 거야."
"아니, 못 했을 거야."
"내가 안 해서 그렇지! 했으면 잘했을 거야!"
"머리가 좋은 건 인정하지만 '잘했다'에는 노력도 필요해. 근데 머리가 좋기 때문에 잘했을 거라는 건… 좀 그래."
"아니야. 공부했다면 노력했을 거고, 그러면 잘했을 거야."
"음… 자, 봐 봐봐. 그림을 잘 그리는 능력이 있는데, 그리지 않아서 못 그리는 사람이 있어. 이 사람보고 '그림 못 그린다'라고 하지. '그림 잘 그릴 수 있는 사람'이라고는 안 하잖아."
"아… 그렇게 말하니 느낌이 확 오네."

얼마 전 아들과 나눈 대화이다. 자존감이 넘쳐서 이렇게 말할 수도 있다. 자신감을 꺾기는 싫었다. 하지만 과정 없이 결과가 있을 것이라고 생각하는 것은 '아니다'라고 전해주고 싶었다. 배울 때는 과정이 중요하다. 배움이 끝나고 배움으로 새로운 일들을 시작할 즈음부터는 결과가 중요하다.

대학교 1, 2학년에는 열심히 하는 학생이 눈에 들어온다. 긍정적이고 열심히 하는 모습을 보고 있으면, 보고 있는 것만으로도 아름답다. 3, 4학년이 되면 결과가 좋은 학생이 눈에 들어온다. 가지고 있는 재능으로 어떻게든 결과물을 버무려 내는 모습이 대단하다.

과정. 진행형(ing)의 시간이다. 이 시기가 진행될 때는 귀찮음과 고통을 견뎌야 한다. 조심해야 할 것은 아는 것이 전부인 듯, 잔재주로 멋이 부리는 것. 발전 속도가 느려진다.

결과. 방점을 찍어야 하는 시간이다. 자신감과 자만심의 중간쯤 되는 정서가 필요하다. '나는 이런 것을 할 수 있어', '이건 나만 할 수 있을 거야', '이 정도는 내가 할 수 있지' 정도 말이다.

나는 과정을 견뎌내야 하는 구간에 있을까? 결과를 '뿜, 뿜, 뿜' 내야 하는 구간에 있을까?

가끔은 존버가 답이다

경기도 어떤 지역에는 예술가들이 많이 산다. 예술가로서 풍성해 보이는 삶이다. 고즈넉한 시골의 강가를 걸으며 사색하고 혼자만의 공간에서 작업하다가 노을을 보며 하루를 마무리한다. 서울 생활권이 되었고 가격으로 따지면 넘사벽이 되었다.

잠깐, 그 지역의 생겨난 역사를 말하자면 이렇다. 예술작업을 하려면 큰 공간이나 혼자만의 공간이 필요했다. 싼 땅을 찾아 시골로 들어왔다. 싼 가격으로 작업실을 지었다. 풍미와 향취를 알기에 살면서 주변 공간을 멋스럽게 만들어 갔다. 20년 넘게 시간이 흘렀다. 예술이라는 문화를 향유하고 싶어 하는 사람들이 삼삼오오 유입되었다. 도로가 놓였다. 개발 호재를 만나 땅값이 올랐다.

이 지역의 지금 모습만 본다면 비싼 동네의 작업실이 있는 잘나가는 예술가로 보인다. 젊은 예술가에게는 부러움의 대상이자 로망으로 보일 수 있다. 로망 뒤에 소극적인 생각이 들 수도 있다. '어떻게 저렇게 될 수 있지?'라는 부러움. 현실에 대한 자책과 미래에 대한 불안으로 연결될지 모른다. 나에게 재능이 있는지… 노력하면 인정받을 수 있을지… 한다고 하는데 뭘 할 수 있을지….

'같은 분야에 10년을 머물고 있으면 뭘 해도 된다'라는 말이 있다.

10년이라는 시간 안에, 떠날 사람 떠나고, 그만둘 사람 그만두고, 다른 일 찾는 사람 찾아가고, 하나둘씩 떠나간다. 커다란 주목을 받지 않아도 자리를 지키며 꾸준히 하다 보면 실력도 갖추게 된다. 일명 '존버'다. 왜? 갈 사람 다 가고 나면 몇 사람만 남게 된다.

만약 화려한 베스트셀러 작가의 삶으로 살고 싶다면, 10년을 존버할 마음이라면 준비해 보자. → 베스트셀러 작가의 삶을 살려면 베스트셀러가 먼저 되어야 한다. → 베스트셀러 작가가 되려면 글을 쓰는 작가가 먼저 되어야 한다. → 작가가 되기 위해서는 글 쓰는 것을 좋아해야 한다. → 글 쓰는 것을 좋아한다는 것은 사물 뒤에 숨겨진 의미를 관찰하고, 하루에 10분씩 글쓰기를 연습하고, 좋아하는 글을 필사하고, 다양한 분야의 책도 읽고⋯ 기타 등등 작은 실천들을 해야 한다.

이러한 작은 실천들은 눈에 보이지 않는다. 작은 실천은 화려하지 않다. 작은 시간 하나하나가 모여 10년이라는 시간을 만들다. 작은 실천을 하며 보낸 10년은 나의 모습을 best of 존버로 만들어 줄 거다.

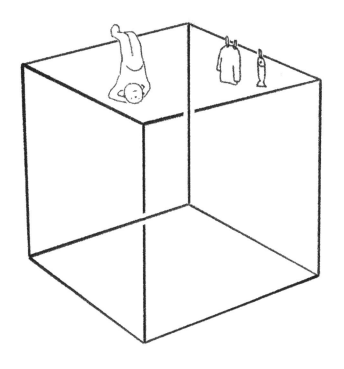

존버 10년을 하기로 결정했다면,

나의 작은 실천들은 무엇이 있을까?

'티끌 모아 태산'이라고 하는데, 나의 존버를 위한 티끌은 어떤
실천일까?

'10년 존버 여정'은 불안이 아니고 행복이자 희망일 거다.

떠나 보는 거지! 뭐!

완성 단계의 한 걸음이 첫걸음보다 어렵다

"마무리가 제일 어려워요."
"마무리?! 힘들겠지만 끝까지 한번 해보면 감이 오는데."
"가늠이 안 된다고나 할까요?! 잘 모르겠어요."

작업 과정을 숫자로 표기하자면 기획 50 진행 40 마무리 10일 거다. 기획의 50은 10단위의 걸음 폭이다. 큰 걸음으로 성큼성큼 가는 느낌이다. 진행의 40은 5단위의 걸음 폭이다. 중간 걸음으로 묵묵히 걸어가는 느낌이다. 마무리의 10은 1단위의 작은 걸음 폭이다. 한 땀 한 땀 촘촘히 세면서 가는 느낌이다.

큰 걸음은 한 발 움직일 때마다 눈에 띈다. 작은 걸음의 한 땀 걸음은 눈에 잘 띄지 않는다. 그만큼 섬세해야 한다. 섬세한 만큼 조금의 차이가 결과물이 달라진다.

경우에 따라 10중 10을 다 채워야 완성도가 좋다고 하고, 10중 2만 채웠는데 밀도가 좋다고 한다. 한 끗 차이를 알아차릴 수 있는 섬세한 눈이 있어야 한다. 눈은 평상시에 길러야 한다.

이런 연습이 도움이 된다. 한 달에 100장 이미지 모으기. 3달 후, 300장 중 마음에 드는 50장 남기고 버리기. 이미지를 모으면서 가지고 있는 공통점을 찾는다. 폴더의 이름을 지어본다. 자신만의 이미지 라이브러리를 만들어 간다. 6개월이 지나면 100장 남기고 정리한다. 이렇게 2년 정도 지나면 세상에 있는 이미지는 거의 다 보게 된다. 이미지를 모으고 버리며 눈을 통한 판단력이 생긴다.

이건 감이다. 감은 경험에 의존한다. 경험은 많은 도전과 실패에 의

해 만들어진다. 마무리 단계의 한 걸음은 이런 감에 의존하기에 감이
생길 때까지 시간이 좀 걸린다.

II.

'나' 생각하기에 대하여

나는 생각한다. 고로 존재한다. = *Cogito ergo sum.*'
철학자 데카르트가 한 말이다.
무겁다. 이번 챕터의 성격은 다소 무거운 감이 있다.

어려움, 알쏭달쏭, 애매모호, 철학…

중요한 것은 '사유'이다.

사유는 '나'가 주체이다. '내'가 '나'로서 존재하는 것을 인정하는 정신
활동이다.
의심하고, 이해하며, 긍정하고, 부정하며, 욕망하고, 상상하고, 감각하
는 것이다.

'나'는 창작자, 예술가로서 나는 무엇인가?
사유 한번 해보자!!

구슬 쟁반 속의 고민

강의실 복도를 지나다 보면 학생을 마주친다. 아이 콘택트와 간단한 목 인사를 주고받는다. 가끔 마주친 눈을 나에게 고정하고 있는 학생들이 있다.

"상담하고 싶은데, 시간 좀 내주실 수 있을까요?"
"상담? 그래!"

대부분은 '지금 이야기하자'라고 한다.

만약, 내가 상담 일정을 뒤로 조율하자고 하면 강의 후 '배터리'가 방전된 상태이다. 방전 후에 머리는 더 이상 돌아가지 않는다. 대화를 해도 입에서 '그래, 그래, 그렇지'만을 반복하게 된다.(이런 상태에서는 상담하지 않는 것이 나은 것 같다. 이해를 부탁합니다.)

마주한 학생의 고민은 이렇다. 고민의 종류가 많았다. 정확히 말하면, 생각이 많다고 자랑하는 것 같았다. 일어날 경우의 수와 일어나지도 않은 경우의 수를 촘촘히 펼쳐놓았다. 저학년인데 그렇게 세밀하게 파악하려는 모습은 보기 좋았다.(아티스트로 살아가는 것, 하고 싶은 일, 학교생활, 취업, 자유로운 영혼으로 산다는 것 등등 이었다.) 20대에 창작 분야 일을 하며 살고자 하면 한번은 해봐야 하는 생각들이었다.

"고민이 많구나."
"그렇죠. 제가 결정하기 전에 생각을 많이 하는 편이어서요."
"많은 생각 중 선택을 위한 고민은 어떤 것일까?"
"선택을 위한 고민이요? 글쎄요…."

"고민을 들어보면 많은 것 중 한 가지를 정하지 못해서 생각의 가짓수가 많아진 것 같아…."

"그렇죠. 선택 장애가 좀 있죠."

"쟁반 안에 100개의 다른 구슬들이 있어. 여기서 원하는 구슬 한 개를 선택해야 한다면? 어떻게 할래?"

"하나만 골라야 한다구요. 와~ 그거 고민되네요."

'선택을 위한 고민'은 고민의 목적이 뚜렷하면 좋겠다. 무엇을 위한 고민인지? 무엇을 선택하기 위한 고민인지? 말이다.

100개의 구슬 중 하나를 고르기 위해 쳐다보고 있자면 눈이 어지럽다. 한눈에 크기, 색깔, 무늬, 쓰임새 등이 들어오지 않는다. 먼저, 쟁반을 좌우로 여러 번 흔들면 비슷한 크기 끼리 모인다. 크기별로 마음에 드는 구슬을 선택한다. 100개에서 70개. 이번에는 색깔별로 70에서 30개. 이번에는 쓰임새별로 30개에서 15개. 선택한 구슬이 5개 정도가 될 때까지 반복한다.

체계적인 배열(sorting)을 하는 거다.

이를 선택을 위해 고민이 있을 때, 적용해 보는 거다. 특정한 조건을 부여하고 반복하는 거다. 이 과정에서 체계적인 배열, 선택, 버림이 반복된다. 그러다 보면, 100개에서 한 개를 선택하는 것이 수월해진다.

대부분의 경우 '최종 결정은 하나'이다.

바꾸어 말하면 이런 느낌이다.

'고민은 많지만, 최종 선택은 하나이다.'
'결정할 선택은 처음부터 정해져 있을 수 있다.'
'결정을 위해 망설임은 시간 낭비다.'

살면서 고민의 시간은 자주 온다. 체계적인 배열(sorting)의 노하우
가 쌓이다 보면, 선택을 위한 조건을 짚어보는 안목이 생긴다. 마치
무술을 익힐 때 힘과 기운이 쌓여서 생기는 내공처럼.

대화가 마무리되어 인사를 나누었다.

"제가 생각이 너무 많았나 봐요. 좀 시간은 걸리겠지만 생각 정리를
어떻게 해야 할지 고민해 봐야겠어요."
"생각 정리를 위한 고민? 또 고민을 한다고? 언제까지 고민만 하려
고?"
"아, 아… 고민말구요. 선택을 위한 생각 정도요… 여튼 좀 걸릴 것
같아요."
"고민이 많다고 다 좋은 것은 아니야. 아티스트들은 사색과 고민이
보통 사람들보다 많지. 그건 좋은 거지. 하지만 고민의 '숫자'를 즐기
는 것은 아파! 많이 아파! 그런데 말야. 살다 보면 뭐 하나 버리지 못
할 상황을 만나곤 하지… 이럴 때 내가 해줄 수 있는 말은… 선택이
늦어져 기회를 놓치는 것보다는 잘못된 선택이라도 해보는 것이 낫다
는 거야. 경험과 결과가 남으니까. 너가 원해서 결정한 것이라면 어떤
선택이든 너를 믿어. 축적될 거야. 이런 시간들이 모이다 보면… 언젠
가 어른이 되어 있겠지."

그날 깜박하고 이야기를 안 한 것이 있다.

'결정의 시섬'이다!

스스로 고민의 마감 기한을 정하는 거다. 행동이나 태도를 분명히 해야 하는 때가 있다. 만약 이 결정이 다른 사람과 연관이 있다면, 결정의 시간을 지나치게 되면 원치 않는 오해가 생길 수 있다. 결정해야 하는 시간이 지나거나 다급해지면 조바심이 생기기도 한다. 옳고 그름의 판별이 모호해지고 결단력이 흐려지고 무의식의 흐름에 따르기도 한다. 이성적인 판단을 위해서 생각할 수 있는 시간적 여유가 필요하다.

이번 고민은 금요일까지! 쿨하게! 내가 해결 할 수 없는 것은 과감하게 버리고!

"난 너를 믿는다. 파이팅!"

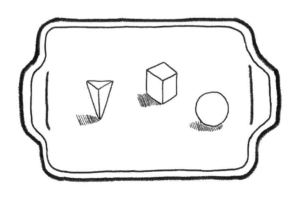

누구에게나 고민은 있다.

장난감을 뽑으려고 가챠 머신 앞에 선 어린아이에게도 있다.

‘원하는 장난감이 나와야 하는데… 어떡하지….’

고민은 아이와 함께 기다리는 아빠나 엄마에게도 있다.

‘원하는 장난감이 안 나오면 어떡하지….’

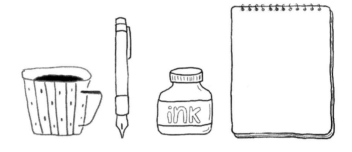

고민이 있다면 적어보자.

생각을 글자로 적다 보면 머리가 맑아질 때가 있다.

적은 것을 보고 있으면, 더 중요한 것이 눈에 들어오기도 한다.

말하기 싫은 고민의 실타래

'스토리텔링 워크숍' 특성상 친밀감이 있어야 자신들의 생각을 자유롭게 꺼낼 수 있으니, 출석부를 보며 이름을 외운다.

암기과목을 가장 싫어하는 나. 나에게는 힘든 일이다. 얼굴 보고 이름과 맞춰본다. 어떤 학기는 몇 주가 걸릴 때도 있다. 계단에서 아는 얼굴의 학생과 마주치면 이름을 부르며 인사를 던진다. 학생을 대하는 나의 친근한 표현이랄까.

"서ㅇㅇ, 오래간만이네. 학교 잘 다니니?"
"아니요…."
"잉? 그래서 고개를 숙이고 가는 길이었구나?!"
"네… 생각이 좀…….."
"아… 그래… 파이팅!!"

고개 숙인 그 학생의 표정에서 실들이 꼬이고 꼬여 커다래진 실타래가 보였다. 그 실타래는 꽤 무거워 보였다. 실타래를 푸는 데 시간 좀 걸릴 것 같았다. 하지만 서ㅇㅇ는 진중한 인상이었다. 시간은 걸리겠지만 스스로 풀어갈 것 같아 보였다. 막연한 기대감이랄까. 이겨내겠지. 그러길 바랐다. 그런데 퇴근 후에도 그 표정이 생각났다. 이런 날은 괜히 찜찜하다. 젊었을 때 겪어야 하는 고민들, 시간이 지나야 해결되는 일들. 참 힘든 시간을 보내야 하니 말이다.

서ㅇㅇ을 계단에서 다시 만날 기회는 없었지만, 이렇게 했으면 바랐다.

고민은 쌓아누지 말라고.

고민이 생기면 적극적으로 고민하라고.
귀찮아서 뒤로 미루면 쌓인다고.
쌓이면 엉킨 실타래가 된다고.
만약, 모르는 사이에 커다란 실타래가 되었다면, 실타래 속에서 풀려고 애쓰기 전에 거리를 두고 멀리서 바라보라고.
풀어보겠다고 실을 급히 당기지 말라고.
확 꼬이면 풀기 힘들다고.

문제가 있기에 고민이 생기는 것이니, 문제의 본질을 먼저 파악하라고. 그리고 다가가라고.
본질이 보여야 원인을 알게 되고, 원인을 알아야 지금 고민이 무엇을 위한 것인지 안다고.

원인을 알았다면, 문제를 직면하라고.
먼 거리에서 보기도 하고, 돋보기로 보기도 하고.

실의 처음이나 끝을 찾았다면,
살살 풀어보라고.
풀릴 거라고.

작은 꼬임을 풀어본 경험이 있어야 큰 실타래를 푼다고.
다음에는 쌓일 때까지 기다리지 말라고.

'파도'는 나쁜 것이 아니라고,
파도가 나를 덮칠 때 파도가 나쁜 거라고.
파도를 즐기는 사람 많다고.

생각은 깊게! 결정은 빠르게!

삶을 살면서 많은 중요한 '순간'을 만난다. 그중 하나는 '결정을 위한 순간'일 거다.

20대의 대학생에게 선택과 결정이 서툴고 어색한 것은 당연한 일이다. 자신에게 결정 권한이 온전히 주어지는 시기는 부모로부터 경제적으로 독립한 후이니 말이다.

'결정'이 어려운 이유는 단순히 o와 x를 선택하는 것이 아니어서다. 결정을 위해서는 의심, 고민, 선택이 동반된다. 의심! 고민! 선택! 결정! 듣기만 해도 뇌가 너덜너덜한 느낌이 든다.

어릴 때 '의심은 나쁜 것', '믿음이 중요하다', '믿음을 주는 사람이 되라'라고 배웠다. 마치 착한 사람 증후군 칩을 머리에 심은 것 같다. 어떤 상황에서 믿음을 버리고 의심하는 것은 마음 한구석이 찜찜하다. 상황에 따라 의심이 나쁜 것은 아닌데도 말이다.

어떤 심리학자의 이야기가 생각난다. 우스운 이야기라고 들릴 수 있다. 현대인은 의심+결정장애 DNA를 가지고 있다는 것이다. 그 기원은 이렇다.

원시시대에 먹고 살아가려면 자원과 싸워야 했다. 어느 날 물을 찾아 밀림을 지나가야 했다. 아무 의심 없이 앞으로 걸어간 사람은 뱀에 물려 죽었다.

어느 날 사냥을 하기 위해 나갔다. 겁 없이 앞장선 사람은 짐승의 공격에 죽었다. 이런 일들이 반복되었다. 살아남은 사람은 저 숲에 뱀이 있지 않을까? 저 짐승이 나보다 세지 않을까? 라는 의심을 해본 경험이 있는 사람이라는 것이다. 따라서 의심 DNA가 우성으로 진화한 현대인은 의심이 많고, 의심은 결정장애로 이어졌다는 거다. 의심하고 선택해서 결정해야 하는데 의심과 결정의 DNA가 함께 동반되는 결이라니…

하지만 고민이 많거나 고민 앞에서 결정장애가 있는 이들에게 하고 싶은 말은~

"뭘 고민해? 함 해봐! 고민만 하면 고민하다가 시간 다 가."

현대는 뱀이나 짐승에게 죽지 않는다. 선택한 결정이 잘못되었다고 해도 짧게는 몇 주, 몇 개월, 길게는 몇 년을 사용하는 거다. 길게 2년을 사용했다면 인생 80년 산다고 치고 40분의 1 사용한 거다. 실천하면서 보낸 시간은 낭비가 아니다. 산 경험으로 언젠가는 발현이 된다.

고민에는 시간을 쓰되, 할까? 말까? 망설이는 데 시간을 낭비하지 말자. 고민은 깊이가 중요하다.

만약, 선택지가 A와 B가 있다면, A를 결정했을 때 찾아오는 결과, B를 결정했을 때 찾아오는 결과. 이로 인해 발생할 수 있는 '경우의 수'를 따져보는 것이다. 이런 경우의 수를 짚어보는 것이 고민의 깊이다.

A를 선택하고 난 후 생각해 보았던 경우의 수가 벌어지면 대처하면 된다. 하지만 '아… 저건 생각 못 했는데…' 하면 선택에 대해 후회가 생길 수 있으니 최대한 세세하게 생각해 보자.

한 가지 더 있다. '변수'이다. 내 힘으로 어쩔 수 없는 것. 변수는 알 수도 없고 고민할 수도 없다.

고민의 시간은 짧게! 깊이는 깊게! 변수 걱정은 No, No!!

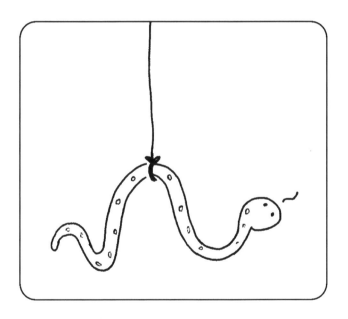

* Curiosity DNA * Indecision *

감성 스위치 ON / OFF

아름다움을 다루는 영역, 새로운 것을 창작하는 영역, 감성을 바탕으로 하는 영역, 이런 영역 안에서 숨 쉬는 사람들의 성향에는 예민함이 있다. 예민하기에 외부 자극을 감지하는 센서(sense, 감각)가 발달되어 있다.

이 센서는 오감+직관이다. 센싱(sensing)은 아티스트로 살아가는 필수 활동이다. 센싱(sensing) 덕분에 이 분야에서 일을 할 수 있지만, 사회생활에서는 때로 괴롭기도 하다.

4학년 졸업작품 지도 수업이었다. 작품도 좋고 능력도 되는 학생이었다. 중간지점을 지났을 때인데 작업 진행이 제자리를 맴돌고 있었다. 능력이 되는 학생이기에 진행 정도는 알아서 하리라 믿었다. 계속 그 자리였다. 안 되겠다 싶어서 제안했다. 작업 장소를 학교로 옮겨서 하면 어떠냐고. 그렇게 하겠다고 했다. 그렇게 2주가 흘렀다. 변화 없이 제자리였다. 무엇인가 풀리지 않는 것이 있나 싶어 물었다.

"왜 그래? 무슨 일 있니? 작업에 흥미가 떨어진 거야?"
"아니요, 그냥 주변이 힘들게 해서요."
"주변? 무슨 일 있는지 물어봐도 될까?"
"별일 아니에요."
"작업에 집중 못 하는 것을 보니 별일이 아닌 것이 아닌데?"
"엄… 머리가 어수선해서 작업이 손에 안 잡히는 느낌이에요."

그 학생은 외국인 학생 관련 업무를 처리하는 부서에서 근로학생을 하고 있었다. 업무는 신청하는 서류를 접수 + 서류 정리 정도라고 했나. 외국 학생들이니 이런저런 도움을 많이 필요로 한다고 했다. 부서 사람들은 그들의 어려움을 알지만, 그저 업무적으로만 처리한다고 했다. 본인은 알바이기에 어떻게 해줄 수 있는 게 없다고.

그 학생은 감성이 풍부하기에 부서 일을 마음으로 받고 있었다. 겉은 멀쩡하지만 속을 곪고 있는 느낌이었다. 졸업작품 진행을 위해 마음 쓰이는 일 말고 단순 알바를 구해보라고 권유했다. '정'도 들었고 새로운 알바에 적응하려면 시간과 노력이 다시 들어가니 작품이 마무리되도록 마음을 다스려 보겠다는 거다.

'감정 다스리기'에 본인의 에너지를 소모하고 있었다. 작업에 쓸 감성 에너지가 고갈될 만큼….

감성을 느끼는 주체는 '나'이다. 나는 감정을 가지고 있다. 외부의 자극으로부터 감정이 상하게 된다. 감성이 풍부한 사람일수록 감정도 풍부하다. 자극에 대해 센싱(sensing)을 오감으로 하게 되니, 일반 사람들이 느끼지 못하는 면까지 느끼게 된다. 외부 자극은 좋은 자극도 있지만, 늘 좋은 것만 있는 것은 아니다. 때로는 괴롭다. 안 좋은 자극은 스트레스가 된다. 감정도 다운된다.

나는 그 학생과 함께한 학기 후 연구년을 갔다. 그 학생이 어떻게 졸업작품을 마무리하고 있는지 궁금하다.

내가 해주고 싶은 말은,

"창작자도 사회생활을 피해서 살 수는 없어. 세상의 모든 소리에 반응할 수도 없어. 환경과 사람들로부터 오는 다양한 자극들, 묵인할 것은 묵인하고. 다름은 인정하고, 다름에 스트레스받지 말고, 다름은 인정하고 배려해. 사회생활과 나의 감성을 분리하는 방법을 연습해. 감성 스위치를 써봐."

사회생활 할 때는 사회인 모드 ON, 감성 모드 OFF!
작업할 때는 사회인 모드 OFF, 감성 모드 ON!

스트레스와 귀차니즘

잠깐 '스트레스'에 대해서 생각해 보자. 생활 속에서 '스트레스'라는 단어를 자주 듣고 사용한다. '무엇해서 죽겠다'보다도 더 듣는 것 같다. 스트레스(stress)는 '팽팽하게 죄다'는 뜻을 가진 라틴어 'strictus, stringere'에서 유래됐다. 어떤 물체에 외부 자극(힘)을 가하면 '스트레인(strain)'이라는 변화가 생긴다. 이 변화에 대하여 평형을 유지하려고 내부 상호 간에 발생하는 힘이다.

우리는 스트레스를 '받았다'라고 한다. 스트레스를 받아 '짜증 난다'로 이어진다. 하지만 스트레스를 통해 내가 외부 자극을 소화하고 있다는 거다. '외부에서 자극을 받아 지금 스트레스 작용으로 이겨내고 있는 상태다'라고 생각을 바꾸면, 스트레스는 외부에서 온 변수를 이겨내기 위해 필요한 요소이다.

요즘은 스트레스를 병의 원인이라고도 한다. 의학용어로 처음 사용한 사람은 캐나다 몬트리올 대학의 내분비학자 한스 휴고 브루노 셀리에 박사다. 한스 박사는 살아 있는 쥐를 대상으로 스트레스에 대한 신체적·생리적 반응을 연구한 결과, 1946년에 스트레스가 '질병을 일으키는 중요한 인자'라고 발표했다. 지금이 2023년이니 100년도 채 되지 않은 용어이다.

스트레스로 인해 생리적으로 생겨나는 호르몬은 감정에 영향을 준다. 우리가 원하지 않아도 그렇게 된다. 외부 자극에 의해 기분이 나빠지면 평정을 위해 에너지가 소모된다. 이 구간에서 감정 기복이 생기는 거다. 감정 기복은 정서적 스펙트럼 중 하나다. 외부 요소에 감정이나 표현을 나타내는 반응의 집합체이다. 외부 자극을 이겨내려고 에너지를 소비하고 있는데, 그 위에 감정까지 요동치면 에너지 소모는 감성이 풍부한 사람일수록 더 크다.

마치 바다에 파도가 출렁이면 배 안에서는 더 크게 느끼는 그런 느낌.

감정이 위(High)와 아래(Low)로 움직인다. 감정의 위 구간(High)은 에너지가 꿈틀거리며 활동적이다. 높은 구간은 새로운 일을 시작할 수 있는 충분한 에너지가 있어 창작의 출발점이 되기도 한다. 하지만 감정의 아래 구간(Low)은 에너지가 떨어지고, 다시 올리기에 에너지 충전이 필요하다. 아래 구간에 오래 있으면 '귀차니즘'이 찾아온다. 이런 말과 함께.

"나중에 하지, 뭐."
"아, 몰라."
"어떻게 되겠지…."

귀차니즘은 창작에 1도 도움이 안 된다.

뇌에는 감정을 표현하고, 조절하고, 제어하는 변연계가 있다고 한다. (변연계: 뇌의 구조물들로 구성되어 있지만 해부학적인 실체는 없는 기능적인 그룹이라고 한다.) 창작 작업을 하는 아티스트에게 '감정 조절'은 중요한 부분이다. 감정 기복이 크면 안정시키기 위해 에너지를 써야 하니까. 안정 유지를 위해 위로 갈 때 안정시키고, 아래로 가면 끌어 올리는 완충공간이 있으면 좋다.

며칠만 하면 완성되는 작업이라면 죽으나 사나 며칠 올인해서 완성하고 장렬히 전사하면 된다. 하지만 한 달 또는 한 학기 때로는 1년 정도의 중장기 작업을 위해서는 완충공간은 반드시 필요하다.

감정의 균형감을 유지하며 귀차니즘에 빠지지 않도록!
긍정의 힘이 나를 지배하도록!
'하면 된다'라는 마음으로 상황에 바라볼 수 있는 상태!

완충공간을 유지하도록 생활 패턴을 만들고, 이것을 루틴으로 갖는 것도 방법이다.

어떤 철학가는 별명이 '아침 10시'였다고 한다. 눈이 오나 비가 오나 아침에 산책하고 카페에서 커피를 마셨다. 그리고 집으로 돌아가 집필했다. 동네 사람들은 그가 카페에 앉아 있으면 '10시구나' 했다고 한다.

감성 에너지를 작업에 쏟을 수 있도록 감정의 완충공간을 만들어 보자.

내 감정의 완충공간을 만들려면 어떤 것을 해야 할까?

해보자.

있다면 두 개만 더 만들어 보자.

없으면,

5분 후에 하늘을 한번 쳐다보는 것부터 시작해 보자.

생각의 높이를 찾자

가끔 사회인으로 생활한 지 좀 되는 졸업생을 만날 기회가 있다. 나이는 서른 살 초반. 그들과 나누는 소통의 시간엔 나의 뇌도 젊어지는 느낌이다. 그들과 오가는 이야기의 대부분은 이렇다.

"요즘 생각이 많아요."

그도 그럴 것이 '서른 초반, 그럴 때'다.

전공을 살려 해보고 싶었던 일을 하면 행복하다 싶었을 거다. 그렇게 야심차게 사회생활을 시작했을 거다. 어떤 이유로 한두 번 정도 이직을 경험했을 거다. 이성 친구가 있다면 결혼을 고민할 거다. 결혼했다면 2세를 가질까? 말까? 생각 중일 거다. 조금 빠른 경우, 부모님이 돌아가셨을 수도 있을 거다. 살고 있기에, 살아가야 하기에, 고려해야 할 생각들이 많을 거다. 아마도 고민 없이 결정하는 결단형이나 즉흥적으로 빠져드는 도파민형도 이맘때는 생각이 많아질 거다.

살아온 경험치로 일어날 일과 살아갈 날들을 유추해야 한다. 이제 내린 결정으로 5~10년 정도는 '훅' 지나갈 거다. 그러니 결정이라는 것에 심사숙고할 수밖에 없다. 심사숙고가 길어지고 변화가 없으면 답답해진다.

이럴 때 떠오는 장면은 건물에서 거리를 내려다보는 '나'이다. 무엇이 보일까? 만약 내가 1층에 있다면, 분주히 걸어가고 있는 사람들과 그들의 옷 스타일, 휙 지나가는 자동차들, stop and go를 알리는 신호등 색깔, 흔들리는 가로수 잎 등이 구체적으로 보인다.

만약 3층에 있다면, 분주히 걸어가고 있던 사람들의 동선, 신호를 기다리는 자동차, 가로수들.

만약 30층 옥상에서 내려다보면 뭐가 보일까? 자세히 안 보일 거다. 거리의 움직임도 잘 느껴지지 않을 거다. 하지만 거리의 전체적인 지형이 한눈에 들어온다. 멍하니 바라보고 있노라면 불어오는 바람을 느낄 수 있고, 생각 정리의 실마리를 잡을 수도 있다.

고민에 대해 정확히 파악되지 않을 때 고민을 바라보는 나의 위치를 바꾸어 보기도 하고, 타인처럼 떨어져서 보기도 하고, 때로는 거꾸로 나를 바라볼 필요도 있다. 생각의 방향성에 따라 문제를 대하는 태도가 정해진다. 태도가 확실해지면 본질도 보이고 문제를 바라보는 관점도 정해진다.

어릴 때를 기억해 보면, 문제가 생기면 이성적으로 해결하기보다 본인 마음대로 되지 않아 떼를 쓰며 울었던 경험이 있다. 심사숙고할 때 문제를 바라보는 '내 마음의 성숙도'를 한번 살펴보는 것도 답이다.

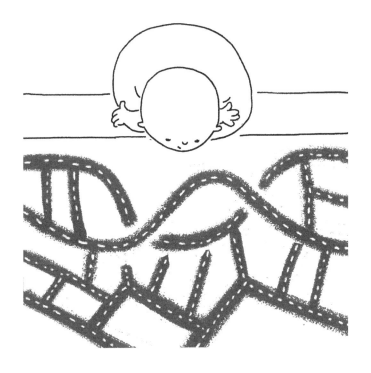

옥상으로 가자!
옥상에서 바라보자!

그건 고민도 아니었구나~
참나, 뭐 이런 걸 고민했나~
그게 무엇이라고~

나에게 필요한 건,
선택보다 용기일 수 있다!

남과 비교보다는 자신에게 자신감을 주자

매년 신입생을 만난다. 고등학교를 졸업한 지 6개월이 채 되지 않은 시점이다. 외형적으로는 성인이다. 내면은 아직 고등학생의 연장선 같은 느낌이다.

'나 대학생이야. 하지만 엄마가 해주겠지…' 이런 느낌 정도랄까.

신입생을 위한 진로상담 교과목을 맡았다. 나는 시간을 제시하고 신입생들은 가능한 시간을 선택한다. 면담 시간 정시에 온 학생이 있었다. 어눌한 면이 있기는 했으나 밝았다. 눈가에 재주가 보였다. 에너지도 있어 보였다.

"대학생으로서 성인 대우를 받은 지 3개월쯤 지난 소감이 어때?"로 가볍게 질문을 던졌다. 그런데 의외로 대답은 진지했다.

"대학에 왔으니 고등학생 때 못해본 것들 해보려고요. 다른 선배들처럼 이것도 하고 싶고~~ 저것도 해보고 싶고요."

아직 방향성은 없지만 해보려는 의지가 보였다. '무엇을 먼저 해야 할지'에 대한 안내를 해주면 되겠다는 생각으로 대화를 이어갔다.

"전공영역에서 C가 해보고 싶다면 B-0을 먼저 하는 것이 좋아. 만약 B-0을 할 줄 안다면 바로 B-1을 하면 되고. C가 익숙해지면 선택지는 F와 H가 생겨. 여러 가지를 조금씩 맛보는 것도 방법이지만, 저학년 때는 하나를 수준급까지 완결해 보는 것을 추천해. 끝맺음이라는 체험이 새로운 것에 대한 도전과 시작에 도움이 되니까. 작은 경험이 쌓여가는 만족감은 소중할 거야."

"그래요?! 그런데 B는 제 성향이 아닌 것 같아요."

"그럼, D 영역도 있어. 그런데 ◇◇과정은 그냥 넘어가면 나중에 힘들어. ◇◇과정은 기초역할을 하는 과정이어서 잘해두면 다양한 것으로 확장할 수 있을 거야. ◇◇과정의 경험이 없으면 상급 단계로 올라갈 때 혼선이 올 수 있어."

"그렇군요. 그런데 ◇◇과정은 별 관심이 없어요."

안내를 해주는 중간중간 돌아오는 답은 '이건 내 성향이 아니고, 저건 겁이 나서 싫고, 저건 나랑 안 맞는 것 같고, 또 저건 관심 밖이고….'

의문이 들었다. '이것도 해보고 싶고 저것도 해보고 싶고'는 이상하게 '이것도 하기 싫고 저것도 하기 싫다'라는 소리로 들렸다. 겉으로는 '하고 싶다'로 포장되어 있지만, 속은 '하기 싫다'이니 조심스러웠다. 자존감을 떨어뜨리지 않고 본인의 현 위치를 알게 하는 것이 먼저라는 생각이 들었다. 본인의 마음 상태를 정확히 안다면, 걸음마는 혼자서 알아서 시작할 거라 생각됐다.

"대학에 와서 하고 싶은 것이 많아 생각이 어수선하구나. 이럴 때는 본인의 마음의 소리를 들어보는 것이 좋아."

"네? 마음의 소리요?"

"응. 내가 무엇을 좋아하나? 진짜 내가 원하는 것은 무엇인가?"

"네? 왜요?"

"남들이 하는 것을 보며 '나도 해야지'라는 생각을 할 필요는 없는 것 같아. 내가 좋아하는 것, 하고 싶은 것을 먼저 알고 난 후에 실천해도 늦지 않아. 안 좋은 것은 실천하지 않으면서 '하고 싶다!'라고 말만 하면 가끔은 내가 나를 속이게 돼. 마치 '나는 그것을 하고 싶다'가 '나는 그것을 하고 있다'라는 착각."

"그렇군요. 근데 마음의 소리를 어떻게 듣죠?"

 마음의 소리를 듣는다는 것은 신입생들에게 생소하게 들릴 수 있다. 검은 후드를 눌러쓴 수도승이나 하는 것 정도로. 아니면 그것보다 더 추상적으로 들릴 수도 있다. 하지만 내 마음의 소리는 나밖에는 들을 수 없다.

"조급해 하지 말고. 하루에 10분 정도 멍 때리기 해봐. 먼저 마음에 여유를 가져보는 거지. 멍 때리기를 하다 보면 머리가 비워질 거야. 비워지지 않으면 나에게 질문을 하나씩 던져봐. 질문은 때로는 큰 것, 때로는 작은 것으로. 구체적으로 던지면 더 좋고."

"반복하다 보면 내가 무엇을 원하는지 알게 돼. 그다음 방향을 세워도 늦지 않아. 방향에 정해지면 하나씩 실천해 봐. 쉬운 것부터. 지금 내가 할 수 있는 일부터 말이지."

"20대에는 남과 비교하면서 나의 수준을 파악하는 것보다 앞으로 내가 하고자 목표를 세우는 것, 현실의 나를 파악하는 것이 더 중요해. 만약 지금은 생각하는 중이어서 아무것도 못 하고 있어도 두려워할 필요는 없어. 방향을 잡으면 의지라는 아이가 생겨나니까. 1~2학년을 그렇게 실천하다 보면 몇 년 뒤의 모습은 지금과 많이 다를 거야."

 그 학생은 기분이 별로인 듯 돌아갔다. 내 마음도 가볍지만은 않았다. 조심스럽게 짧게 해야지 하다가 결국 다 말해버렸다. 참아야 했는데, 그 학생이 못 받아들이면 과부하가 걸려 더 헤맬 텐데….

 일주일 후쯤이었다. 낯선 이름으로 이메일이 왔다. 그 학생이었나.

'도움이 될까?? 하는 의문으로 진로상담 면담을 갔다. 나에 대해 생각이 너무 없었다. 자신에 대해 생각하게 해주어 감사하다. 다음에 상담할 기회가 있다면 다른 모습으로 가겠다.'

'며칠 동안 생각이 많았구나.'
고마운 한 통의 이메일이었다. '휴…' 하는 작은 안도의 숨이 나왔다. 나의 멘토링이 잔소리처럼 들렸을까 걱정이었는데. 다음에는 짧게 말해야지. 시크하게.

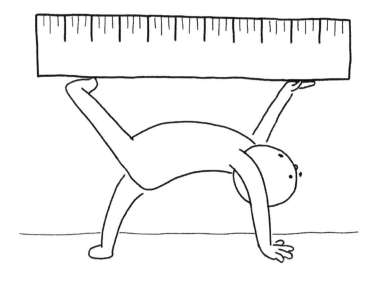

128

"인생을 한번 살기에 방향성이 중요해.
낯선 곳을 여행할 때 지도가 필요한 것처럼.

삶의 지도를 그려봐. 하지만 삶의 지도는 미래를 볼 수는 없어.

지나온 시간만 지도에 그릴 수 있어. 아쉬운 일이지.

하지만 가끔 펼쳐보면 내가 어디쯤 서 있는지 보일 거야.
지나온 길을 보면 어디로 가게 될지가 보일 거야."

오늘 내가 제일 중요하다고 생각하는 것은 뭘까?

아이 같은 순수한 뇌를 갖자

어느 시인은 '어린아이 얼굴에 행복이 있다'라고 한다. 일상생활은 다 어른에게 맞추어져 있다. 아이 입장에서 세상은 온통 불편한 것들 뿐이다. 어린 시절 자동차를 탔던 때가 기억난다. 키가 작아서 석양일 때는 눈이 부셨다. 안전벨트는 어깨가 아닌 얼굴로 지나갔다. 안전도 보장받을 수 없었다.

시인이 본 어린아이의 행복은 무엇일까…?

나이를 먹어 성인이 됐다. 생활 속 자잘한 고충은 없어졌다. 불편했던 규칙들도 익숙해졌다. 거북함이 있겠지만 나름의 방법으로 최적화시켰다. 맞춰진 습관은 이제 편하다. 외려 이제는 몸에 익은 규칙들 중 하나가 바뀌면 불편하다.

불편함이 익숙함으로, 익숙함이 편안함으로. 거북함이 타협으로.

하지만 어른 중 누군가는 안전벨트가 어린아이에게 불편하다고, 안전하지 않다고, 생각했을 거다. 그래서 어린아이용 카시트가 개발되었을 거다.

어린아이처럼 순수한 창작의 뇌를 가져보자.
불편함을 불편함으로 인지해야 하고,
'이 정도면 됐어'하며 타협하지 말고,
거북함을 느껴야 하고,
익숙함보다 생경함을 찾아야 한다.

아마도 시인은 누군가에 의해 개발된 어린아이용 카시트에 앉아 웃고 있는 아이를 봤을 거다. ㅎㅎㅎ.

 내가 어린아이에게 '누군가'가 되려 해보자. 아이의 눈높이에서 상황
과 사물을 볼 수 있는 그런 '누군가' 말이다.

이십 초의 고민

"교수님 왜? 젊은이들은 왜 이리 고민이 많죠?"
"그래?! 근데… 나는 아무 고민 없어 보여?"
"아니, 그게 아니고요…."
"농담이야. 이해해. 나도 20대에 그랬으니까."

개강 파티 때 어떤 학생이 나에게 던진 말이다. 정확히 말하면 조금의 취기에서 오고 간 대화다.(개강 파티, 지금은 코로나 시대라 꿈도 꿀 수 없는 행사이지만.)

그 학생이 털어놓은 마음속 고민은 이렇다.

"어떤 아티스트가 될까요?"
"무엇을 하며 살아갈까요?"
"직업은 어떤 걸로 가져야 하나요?"
"저는 무엇을 좋아할까요?"
"가장 중요하다고 생각하는 가치관은 무엇일까요?"

취기를 빌려 수치심을 내려놓고… 두서없이 의식의 흐름을 따라오고 간 취중 진솔 대화정도.

그 학생은 대부분의 20대가 하는 고민을 하고 있었다. 그 고민이 쓰게 느껴지는 이유는 본인만 고민하고 있고, 본인의 고민이 가장 크다고 생각하기 때문일 거다. 나의 20대보다 사회 환경이 많이 복잡해졌다. 복잡한 만큼 더 다양한 일들이 펼쳐지니 그 고민의 종류가 많아진 것도 사실이다.

그의 눈에 내가 고민이 없어 보이는 이유는 이런 걸 거다.

고민이 올 때마다 노력하는 것이 있다.
고민이 잡생각으로 변질되지 않기를,
고민이 스트레스로 오지 않기를,
고민이 쌓여 고민이 되지 않기를,
고민의 끝에 그때그때 맞는 작은 해결 방법이라도 찾기를,
이를 위해 성찰의 시간을 갖는 것.

새로운 일을 시작할 때 끝을 상상

새로운 세상을 시작하는 20대에게 한 번쯤 생각하기를 권유하는 것이 있다.

'죽을 때의 나를 상상해 보기.'

나는 어떤 사람의 모습이었을까? 만약, (지금 큰 결정을 앞두고 있다면) 그때 지금을 생각하면 웃을 수 있을까?
나는 어떤 것에 의미를 두며 살았을까?
행복 찾기를 위해 무엇을 했나?
어떤 가치관을 갖고 살았고 가족들은 나의 비문에 뭐라고 적었을까?
기타 등등.

삶은 처음과 끝을 잇는 과정이다. 과정은 진행형이다. 쉬어가는 여유는 있지만 멈출 수 없다. 멈추면 끝을 의미한다. 그래서 삶의 고민은 머리가 아프고 괴롭고 그 숫자와 종류도 많을 수밖에 없다.

나에게만 이런 고민이 찾아온다고 생각할 필요 없다. 20대, 이 시기에는 모두가 그렇다. 성찰을 통해 자신에게 맞는 답을 찾는 거다. 찾은 답은 나에게는 맞고 다른 사람에게는 안 맞을 수도 있다. 그 반대일 수도 있다. 성찰에는 정해진 답은 없다. 과정을 통해 한 걸음 한 걸음을 나아가는 거다.

창작자로 삶을 살고자 하는 지금, 나는 무엇을 위해 살 것인가? 무엇을 위해 창작을 하고자 하는가? 무엇이 나를 행복하게 만들 것인가? 어떻게 실행해야 과정도 좋고 결과도 좋을까? 창작자로서 세상에서 무엇을 추구해야 하나?

성찰로 20대를 열어보는 것도 좋을 거다.

성찰 없이 어른이 된다면, 어른이라는 인형의 탈을 쓴 것과 같다.

사유는 인간만이 할 수 있는 능력이다. 타고난 재능이 아니고 만들어 가는 습관이다.

성장호르몬이 키를 크게 하듯, 성찰 호르몬은 어른으로 자라게 한다.

20대에 성찰을 즐기자.

20대에는 체력을 쌓자

무협지에는 이런 내용이 종종 등장한다. 어떤 젊은이가 지존이 되기 위해 무술의 고수를 찾아 여행을 떠난다. 어렵사리 고수를 만나게 된다. 고수에게 무술 가르침을 청하지만, 거절당한다. 삼고초려 끝에 고수의 집에 머물게 된다. 젊은이에게 시키는 일은 매일 허드렛일이다. 싫증이 난 젊은이는 고수에게 따진다.

"아니, 무술을 가르쳐줄 것처럼 그러더니 허드렛일만 시키시는 겁니까?"

이때 고수는 나무 봉 하나를 던져준다.

"그 봉이 내 옷을 스치기만 해도 오늘부터 가르쳐주마."
맨손의 고수에게 나무 봉을 휘둘러보지만, 역부족이다. 내려친 나무 봉은 고수의 손날에 부러지고 젊은이는 바닥에 실신한다.
"봉을 다룰 힘도 없는 놈이… 정신이 먼저이니라. 아직 멀었다."

이번에는 강도가 세다. 물 길어오기, 장작 패기, 토끼 잡아 오기, 무거운 짐 옮기기 등등으로 또 몇 계절이 흐른다. 어느 날, 고수가 검을 주며 본인을 베어보라 한다. 고수는 작은 나뭇가지를 들고. 예상대로 결과는 고수의 승.

"힘이 있다고 다 힘이 아니다. 힘은 쓸 줄 알아야 그게 힘이다."
"네. 제가 너무 방자했습니다. 제발 제자로 받아주십시오!"

젊은이의 심성을 본 고수는 젊은이를 제자로 받아준다. 젊은이는 무술연마를 시작한디. 세월이 흐르고 무술의 경지에 오르고 무공까지 익

히게 된다. 여러 우여곡절을 겪고 젊은이는 무림의 지존이 된다. (TMI: 여기에 복수, 로맨스, 전통 무협 등의 장르성이 정해지고, 등장인물, 사건, 사고가 더해진다.)

우리는 '창작'이라는 일을 한다. 창작은 새로운 것을 만드는 것이다. 처음부터 창작물이 나오지 않는다. 필요한 것이 있다. 무림의 지존이 된 그 젊은이에게 필요했던 근성, 기초체력, 믿음, 심성 같은 것 말이다.

창작의 고수가 되려면 20대에는 무엇을 해야 할까?

기존의 것을 관찰하는 능력, 관찰을 통해서 같음과 다름을 찾아내는 눈, 많은 것을 보는 기회, 긍정적 마인드와 적극성, 기초이론.(우리의 눈은 아는 만큼 본다.)

가볍게 여겨질 수 있다. 무술을 배우려는 젊은이도 그랬으니까.

140

창작의 고수가 되기 위해 난 오늘 무슨 내공을 쌓았나?

하루에 한 가지, 하루하루가 쌓이면 일주일, 일주일이 쌓이면 한 달,
한달 한달이 쌓이면 일 년.

하루, 하루를 쌓아간다면 언젠가는 고수 of 고수 = 능력자 =
전문가가 되어있을 거다.

감을 따자

아름다움을 다루는 분야에서 쉽게 들을 수 있는 단어가 있다.

'감'이다. 영어로 말하면 'Sense' 정도 될 거다.

'감이 있네.', '감 잡았네.', '감 떨어졌네.', '감 좋은데.'

추상적이다. 직관적이다. 논리나 추리를 거치지 않는다. 사고경유를 통하지 않고 판단하는 감각이다.

말장난처럼 들릴 수도 있을 거다. 감을 따려면 어떻게 해야 할까?

땡땡 마트에서 주문하면 배송된다?!

아닐 거다?!

감을 따려면 감나무가 있어야 한다. 감나무가 있으려면 씨앗을 심기 위한 땅을 고른다. 양지바르고 배수도 잘되는 땅. 씨앗을 심고, 물도 주고 양분도 준다. 싹이 난다. 강한 햇볕도 가려주고, 바람도 막아주며 보살펴준다. 묘목이 되고 성목으로 자란다. 성목이 되었다고 바로 감이 열리는 것은 아니다. 성목이 된 후, 두 해 정도 지나야 감이 열리기 시작한다.

이제야 감을 딸 수 있다.

만약 10개 열린 감나무와 100개 열린 감나무가 있다면, 어느 나무에서 감을 많이 딸 수 있을까? 답은 정해져 있다. 100개 열린 나무이다.

우리는 감을 잡기 위해 무엇을 하고 있나? 100개 열리는 감나무로 가꾸는 것처럼 나에게 어떤 행위들을 하고 있나?

하루에 한 가지가 많다면, 일주일에 한 가지라도 감을 잡기 위한 행위를 하자. 자신이 안 해본 체험을 해보는 것이 좋다. 똑같은 일상의 패턴을 바꿔보는 것도 좋다. 고정관념을 깨보기 위한 실천도 좋다.

감나무가 잘 자라도록 물과 거름이 필요하다. 본인의 감을 키워가는 실천 행위가 없다면, 나의 감나무는 10개 열린 감나무일 거다.

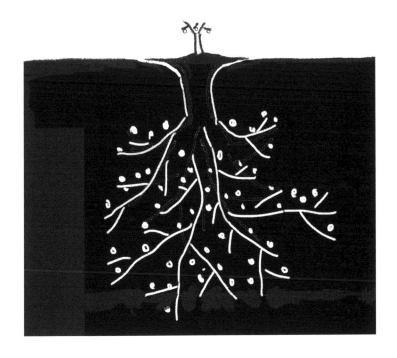

지피지기

손자의 모공 편에 이런 말이 나온다.

'지피지기면 백전백승.'

지피지기(知彼知己): 적의 사정과 나의 사정을 자세히 앎.

적을 알고 나를 알면 전쟁에서 백전백승이라는 거다.

작업을 시작하기 전에 '작업을 어떻게 할까'를 구상한다. 처음 작업을 시작할 때는 작업의 공정과 노하우에 치중한다.

작업을 실행하는 주체는 '나'이다. 나는 나를 얼마나 알고 있을까? 작업하기 전, 나의 속성을 먼저 생각해 보자. 장점, 단점, 습관, 또는 성질 등등.

- 아이디어 낼 때는 즐겁다.
- 구상하다가 막히면 메모장에 남기고 다른 것을 넘어간다.
- 처음에는 열정적이고 작업 중반쯤 에너지가 떨어진다.
- 흥미가 떨어지는 작업은 시작하기 힘들다.
- 작업 집중력은 2시간 정도가 제일 높다.
- 오전 공복에 작업이 잘된다.
- 단순과 반복적인 일을 잘못한다.
- 작업료 보다 작업의 흥미도를 중요시한다.
- 내가 좋아서 하는 일과 잘하는 일이 다르다.
- 시작 때 시간이 좀 걸리고, 진행되면 몰입한다.
- 한 공간에 오래 있으면 답답하다.
- 전체적인 그림이 안보이고 이해가 안 되면 작업을 들어가기 힘들다.
- 머리에 스트레스나 신경 쓸 일이 들어오면 작업에 쏟는 에너지가

바닥난다.

- 작업 완성도 90% 정도가 되면 다한 것 같고, 밀도를 올리는 마무리 작업 때 시간이 오래 걸린다.
- 구상 단계에서 제작의 한계가 예상되면 아이디어가 수축될 때가 있다.

　나에 대해 생각해 보며 적은 속성은 이 정도다. 다음은 나의 속성을 고려하여 작업 효율을 높일 수 있도록 세운 작업패턴이다.

- 기획 회의에서 흥미가 떨어지면, 아들을 생각하며 장난감 사줄 생각을 한다.(흥미가 떨어지면 작업이 하기 싫어지니… 나에게 소중한 아들을 생각하며 돈이라도 벌 생각을 한다.)
- 작업에 들어가기 전에 전체적인 설계를 하고, 세세한 계획을 최대한 꼼꼼히 메모한다.(한 곳에 꽂히면 몰입해서 한 방향으로 달려가는 성향이 있으니, 작업 중에 설계한 계획 메모를 보며 속도 조절을 한다.)
- 생각의 워밍업 시간이 필요하니 제작 단계보다 한 단계씩 미리 생각한다.(남들보다 순발력이 떨어지는 편이라 남들보다 먼저 시작한다.)
- 작업 중간에 에너지가 떨어질 때를 대비하여 작업량을 조절한다.(단순 반복 작업하는 것을 싫어해서 본 작업에 들어가면 작업량이 떨어지니 작업의 순서를 배분하여 작업량을 조절한다.)
- 작업시간을 집중이 잘되도록 2시간이 끊어서 짠다.(한 공간에 오래 있으면 답답해서 효율이 떨어지니 오전 작업 2시간, 중간에 외부 일이나 성격이 다른 일을 하고 마무리 3시간에 집중한다.)
- 본 작업이 시작되면 핸드폰과 친구를 멀리한다.(완성도를 높이는 본 작업부터 마무리 단계에는 전날 작업하던 것을 이어서 해야 하니 술자리를 피한다.)

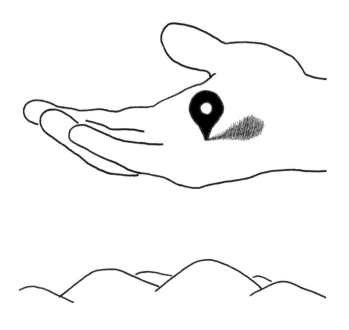

'가능성'이라는 함정

'나는 남과 다르다!'

창작자로서 가지고 있어야 하는 소양이다. 듣기만 해도 좋다. 자존감이 있어 보이고, 자부심도 있어 보인다. 차별화된 아이디어를 생각하려고 노력한다. 정형화된 틀을 깨려고 한다. 언젠가 크게 될 것 같은 잠재력이 있어 보인다. 가능성 뿜뿜이다. 멋있다. 기대된다.

창작자의 3박자는 눈! 머리! 손! 이다.
눈은 눈높이를 말한다. 빠르면 좋고 격이 있으면 더 좋다.
머리는 인지, 사고, 사유, 응용, 적용, 예측의 역할을 한다.
손은 실천을 통한 결과물 담당한다.

눈과 머리의 능력치가 높은 사람일수록 함정에 잘 빠진다. 빨리 보고 빠르게 생각하기에 남보다 판단이 빠르다. 의견 제시도 빠르다. 혹은 의견을 말하는 대신 속으로 무시한다.

'저건~ 이런 점이 부족해. 나는 저것보다는 잘할 수 있어. 나는 좀 다르니까.'

함정은 여기에 있다. 첫 번째는, 타인의 결과물을 보고 눈으로 머리로 평가한다. 좋고 나쁨을 판단한다. 하지만 나의 결과물은 없다. 없지만 있는 것처럼 착각한다. 결과를 눈으로 확인하지 않았으니, 가능성이 있다고 생각한다.

두 번째는, 손이 눈과 머리의 수준에 못 미치는 경우이다. 만들다 보면 결과물이 기대치에 못 미칠 것으로 예상하고 겁을 먹고 포기한다.

아이디어를 손을 통해 완결하는 것이 결과물이다.

'나는 저것보다는 잘할 수 있어'라는 생각을 했다면, '내 눈에 저런 점이 부족해 보인다. 내가 작업할 때는 이렇게 보완해야겠어'로 생각을 전환하자. 이런 생각을 메모로 남기자. 구체적으로. '무엇을 보았는데, 어떤 느낌이 들었고 어떻게 바꾸면 좋을 것 같다' 정도로.
　창작은 결과물로 본인의 수준을 말한다. 눈과 머리에서 끝이 아니다. 손으로 만들어 내야 한다. 손은 길러진다. 자기 노력이 필요하고 시간이 좀 걸릴 뿐이다.

　'작은 것은 하찮다고 넘어가고 큰 것을 잘할 수 있다'라고 생각하는 것은 오류다.

　만약, 결과물의 평가를 받는 것이 두렵다면, 지금 어떤 것이라도 좋으니 만들어 보자. 아주 작고 하찮은 것부터~~.

나의 성향과 작업의 성격 차

"○○이는 감도 있고, 기획력도 있어 보이는데 졸업하면 어떤 쪽으로 가고 싶니?"

"기획 쪽 일을 하고 싶어요. 그런데 모르는 사람 만나는 것이 힘들어요. 프레젠테이션도 해야 하고, 누군가를 설득하고 설레발도 떨어야 하고… 이런 것들이 좀 걸려요."

"의외네. 저번에 보니 잘하던데. 난 외향적이라고 생각했는데?"

"저도 그렇게 보이려고 노력하는데 쉽지 않네요."

의외의 답이었다. 하고자 하는 분야의 능력을 가지고 있다. 하면 잘한다. 남들도 잘한다고 이야기한다. 본인도 그 분야에서 일하고 싶어한다. 하지만 정작 본인의 성향은 반대이니. 어려운 현실이다. 어떤 말을 해주어야 할지 심란했다.

"아, 그래. 본인에게 맞는 다른 일을 찾아보는 것이 좋을 것 같아. 안 맞는 옷을 입고 파티에 가는 것은 힘든 일이잖아."

또는

"별일 아니야. 다 그렇게 살아. 정말 하고 싶다면 주어진 환경을 즐겨. '페르소나'라는 가면이 있잖아. 하나 구해서 쓰면 되지. 내 안에 또 다른 나를 소환하는 거야."

어떤 것이 더 좋겠다고 제시하기 힘들었다.

어떤 지인은 어려움을 극복하고 이제는 본인의 일을 즐긴다. 또 어떤 지인은 다른 분야로 선회하여 자신에게 맞는 분야를 찾아 지금을 만족하고 있다고 한다.

스치는 한자 성어는 복불복(福不福)이다. 어떤 일이 복이 되기도 하고 복이 되지 않기도 하는 사람의 운수를 말한다. 그렇다고 중요한 결정을 동전을 던져 운에 맡길 수는 없는 일이다.

만약, 성향을 극복하는 길을 선택한다면 일이 익숙해질 때까지 버텨 보자.

본인의 약점이라고 생각되는 성향을 장점으로 승화시키자.
꾸준하지 못하다면 집중력을 기르고,
근면하지 못하지만 야근하면 된다.
설레발이 싫으면 정직함으로 승부한다.
외향적이지 않다면 차분함으로 믿음을 주자.

만약, 다른 분야로 선회하는 길을 선택했다면 미련을 갖지 말자.
예술 분야의 일은 본인의 능력도 중요하지만, 열정도 중요하다. 자신을 갉아먹는 일은 열정 에너지를 만들어 낼 수 없다. 열정 없이 기계처럼 일만 할 수는 없으니.

그 학생에게 했던 말은 이렇다.

"무엇을 선택하든 너에게 맞는 일이야. 너한테 다 어울려. 그런데 먼저 도전해 봐. 그다음에 선회해도 늦지는 않아. 그래봐야 1년쯤 돌아가는 건데 뭐. 경험해 보고 정말 안 맞는다고 판단돼서 다른 쪽을 선택한다면 후회는 없을 것 같아. 나는 너를 믿는다!"

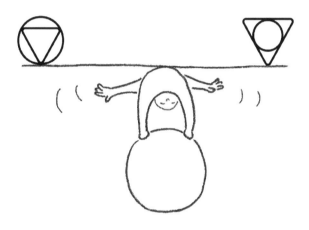

새로운 것을 얻으려면 손에서 하나를 내려놓자

 카페에 가면 이런 모습에 눈이 간다.

 혼자 온 사람. 테이블 위에 커피 한잔과 노트북이. 옆 자석에 놓여있는 가방. 블루투스 이어폰을 끼고 있다. 눈은 노트북을 쳐다보며 열중하고 있다. 손가락은 가끔 자판을 친다.

 '뭘 하나' 하는 궁금증과 '혼자서도 잘하네' 하는 존경심이 생긴다.

 어떤 날은 나도 그런 느낌을 받으러 노트북을 들고 카페에 간다. 조금 더 우아해 보이려고 에스프레소를 주문하고 따뜻한 물 한 잔을 달라고 한다.

 옆자리에 가방도 놓고 나도 각을 잡고 앉는다. 노트북을 열고 이어폰을 찾는데… 아뿔싸, 없네. '으악'이다! 이어폰 없는 카페 공간. 오늘은 날이 아닌가 보다. '에스프레소나 드립하고 가야겠다'라는 생각으로 노트북을 덮었다.

 커피를 마시는 동안 30대 중반쯤 보이는 커플의 대화가 귀에 들어왔다. 뒤 테이블이었다. 들으려고 하지 않았지만 들렸다. 그러기에는 내용이 너무 쏙쏙 들어왔다.

 며칠 전 세미나에서 잠깐 만났던 젊은 지인이 생각났다. 그는 이런 이야기를 했다.

 "지금처럼 살면 안 되겠다는 생각이 들어요. 무언가를 새롭게 시작해보려구요. 아직 무계획이지만요. 지금 하고 있는 일이 나쁘지는 않아요. 하지만 새로운 일을 할 때가 된 것 같아요. 정리가 필요한 것 같은데 어떻게 해야 할까요?"

"본인이 가장 소중하다고 생각하는 것을 버려요!"

"네? 저울질하고 있는 것은 맞지만, 그 반대 아닌가요?"

"다가오는 기회가 가장 소중한 거예요. 지금 쥐고 있는 것 중에서 더 소중한 것을 선택하는 것이 아니고. 집착에 가려서 안보일 수 있어요."

"네?!"

일정이 진행 중이어서 길게 대화를 나눌 시간은 없었다.

"언제 소주 한잔 사주세요."

"그래요. 언제든지~ 소주 한잔해요."

언제 시간을 맞춰서 소주를 나눌 수 있을지는 모르지만, 왠지 '소주 한잔하자'라는 말은 '밥 한번 먹자'는 말보다 정이 간다.

소주를 마셨다면 나눌 이야기는 이거다.

눈앞에 맛있는 '딸기'가 있다.

"가져갈 수 있는 만큼 가져가세요."

빈손이라면 손으로 잡을 수 있는 만큼 가져갈 거다.

눈앞에 맛있는 '포도'가 있다.

"가져갈 수 있는 만큼 가져가세요."

딸기를 손에 들고 있는 상태에서는 어떤 선택을 할 것인가? 딸기를 버리고 포도를 집는 사람도 있을 것이고, 딸기 반, 포도 반을 잡는 사람도 있을 거다. 아니면 포도보다는 딸기가 좋기에 집지 않는 사람도 있을 거다.

눈앞에 반짝이는 '금괴'가 있다.
"가져갈 수 있는 만큼 가져가세요."

대부분은 딸기와 포도를 버리고 금괴를 집어 들 거다. 금이 딸기나 포도보다 '가치'가 있다고 생각하기 때문일 것이다.

살면서 삶에 변화가 있었으면… 하는 순간이 온다.

진정 변화를 원한다면 내 손에 쥐고 있는 것을 버려보자. 손이 비어야 새로운 것을 얻는다. 후회 없는 판단을 위해 한번 내려놓고 생각해 보는 거다. 만약, 변화를 원하는데 현재 준비가 안 되어있다면 몇 년 준비시간을 가져도 된다.

새로운 일을 위한 준비는 가치판단!
구체적인 계획과 준비하는 시간!
실천!

이 세 가지가 하나이다. 세 개가 함께 있어야 한다. 하나만 빠져도 없는 것과 같다. 그래서 새로운 시작을 위한 준비가 어려운 것인지도 모른다. 1+1+1=1이니.

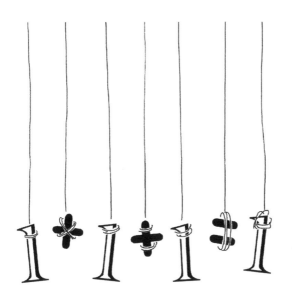

2를 뒤로하고 3을 맞이하는 기분이란…

대학교에 근무하니 학생들을 많이 대면한다. 그들의 연령대는 20살에서 29살 정도. 고등학교 졸업 후 바로 입학한 학생, 휴학생, 복학생, 선배들과 족보를 꼬인 삼수생, 재외국민, 유학생 등등. 대부분은 30살 전에 대학을 떠난다.

그날은 점심을 먹고 학교에 있는 호숫가를 걸었다. 아는 얼굴의 학생이 호수를 바라보고 서 있었다. 벤치에 앉아 있지 않고 서 있는 거다. 그 학생은 29살에 막 학기를 보내고 있는 최고령학생이다. 출석부상 가장 위에 있다. 최고학번의 소유자. 일명 '용'이라고 불린다. 여의주만 있다면 하늘로 바로 올라갈 것 같은 용을 비유한 말이다. 그들의 특징은 복도나 계단에서 마주칠 때 말을 걸까 하고 쳐다보면 없다. 사라진 거다. 그래서 용이라고 불리는지도….

그날따라 그 학생의 뒷모습은 먹먹해 보였다. 동기들처럼 사회 생활 중에 29살을 맞이해도 마음이 어수선할 텐데.

점심은 먹은 건가? 공강인가? 말을 붙여볼까? 다가갔다. 인기척을 못 느끼고 미동 없이 서 있었다. 걸음을 멈췄다. 덩달아 멍하니 서서 그를 바라보았다.

내일을 기다리고 있는 듯, 앉을 수 없는… 마음껏 보내고 싶지만, 시간은 얼마 남지 않은 느낌. 아쉬움으로 남은 불안함. 10,000 피스 퍼즐 중 마지막 퍼즐이 없어져 미완성을 바라보는 느낌. 벤치를 바라보고 있으니 템스강 벤치로 기억이 옮겨졌다.

출장 중이었다. 사람을 만나기로 했다. 약속 시간보다 너무 일찍 노

착했다. 이왕 이렇게 된 거 낭만이라도 즐겨보려고 강가를 걸었다. 작은 강폭은 소담함을 주었고, 오래된 나무들은 고즈넉했다. 묶어 놓은 오래된 작은 배도 보였다. 차곡차곡 쌓인 시간의 흐름이 느껴졌다. 주변에 취해 얼마를 걸었는지 다리가 아팠다. 조금 쉬어야겠다 싶어 벤치에 앉았다.

아직 약속 시간이 많이 남았다. 주위를 두리번두리번. 시간이 멈춘 듯 바람 한 점 없었다. 아는 사람도 없고 알아보는 사람도 없었다. 나무로 만든 벤치에 많은 낙서가 새겨져 있었다. 이름과 이름, 하트, 숫자, 욕. 역시 낙서는 동서양이 비슷하구나 했다. 그중 눈에 띄는 숫자가 있었다. '1970! 29⋯' 뭐지?? 궁금했다. 손으로 만져봤다. 과거로 돌아가는 느낌스.(TMI: 1970, 내가 태어난 해, 그래서 감정이입이 된 것 같다.)

갑자기 인기척이 들렸다. 옆 벤치에 노인분이 앉아 있었다. 노인분과 눈이 마주쳤다. 가벼운 눈인사를 했다. 그분이 검지로 자신을 가리키는 거다. 뒤에 누가 있나 하고 뒤를 돌아보았다. 아무도 없었다. 고개를 돌리니 그분이 옆에 와있었다. 영국의 용인가?!

본인을 가리키던 검지가 벤치를 가리키는 거다. 나에게 뭔가를 알려주려고 애쓰는 듯했다. 나는 동양인의 미덕인 침묵의 미소만 보냈다. 급기야 말을 건넸다.

"It's mine."

의자가 본인 것?? 본인이 앉겠다고 비키라는 건가??
괴팍한 노인처럼은 보이지 않는데. 그래도 조심해야지. 앉으라는 제스처를 하고 일어섰다.

그분은 벤치의 낙서를 '콕'하고 찍으며,

"It's me."

1970! 29, 낙서를 가리키는 거다. 그리고 씩 웃는다. 이상한 사람이라는 의심은 사라졌다. 숫자에 대한 호기심이 생겼다.

"It's you? What does this number mean?"

잠깐의 대화로 이어졌다. 숫자의 주인공이 본인이다. 1970년에 본인은 29살. 후에 시에서 벤치 수선을 위한 돈을 모았다. 본인도 작은 돈을 기부했고, 기부한 사람들의 이름을 명패에 남긴다기에, 본인이 이 벤치로 지정했다고 했다. 의자의 밑을 보니 여러 사람의 이름이 적혀있는 금속 명패가 있었다.

1970년 29살, 왜 그리 고민이 많았는지 모르겠다며 웃음인지 미소인지 그 중간쯤 되는 것을 남기고 떠났다. 그렇게 숫자의 의미를 들었다. 짧은 만남이었다. 알게 되니 의문이 생겼다. 고민이 무엇이었을까. 혹시 물었으면 답을 해주었을까? 답을 해주었으면 아마 이 정도일 거다.

"누구나 고민은 가지고 있어. 고민이 무엇이든 그 시간은 힘들지. 시간은 내가 보내려 해도 잡으려 해도 알아서 흘러가."

그 노인분도 이제는 단단해졌기에 미소를 남기고 갔을 거다. 그 또한 시간이 만들어 낸 것일 거다. 나의 29살을 떠올려 본다. 유학 생활 마치고 돌아와 사회생활을 시작했다. 어리바리 사회 조년생. 다사다난

한 사건 사고들. 생경한 경험들. 모든 것이 처음이었고, 벌어지는 일
모두가 내 몫이었다.

그때 했던 고민을 지금 한다면 어떨까?
고민이 고민이 아닐까?
답을 쉽게 찾을 수 있을까?

호수 가에서 보게 된 '최고령 용'의 뒷모습 덕분에 나는 템스강을 다
녀왔다. 나는 그날 그에게 말을 걸지 않았다. 그도 언젠가는 시간이
흘러 마음이 어수선할 때 미소로 답례하는 연륜이 쌓이겠지.

응원할게~ 너는 모르겠지만!
삶의 행보에 정답은 없어! 파이팅!!!

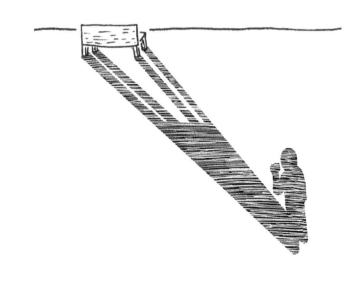

변화를 이끌어 내는 아싸

새로운, 다양한, 남과 다른, 독특한, 너만의 생각… 이런 느낌의 단어들. 다른 학문보다 예술 분야가 중요하게 생각하는 요소들이다. 기존의 것을 분석하고 비판하며 새로운 것으로 탈바꿈시키는 행위.

우리가 속해있는 집단 안에서 안주하기보다는 무리 밖에서 안을 바라보기에 생각과 행동이 유연할 수 있다.

'자발적 아싸'라고 해야 하나.

그래서일까? 간혹 아싸 성향에 과도하게 심취해 있는 학생들을 본다.

"교수님, 이렇게 변화해야 하는 것 아닌가요?"
"그렇지. 그럴 수 있지. 근데 어떤 측면에서 그렇게 변해야 하는지 설명해 줄 수 있을까?"
"이런 변화가 필요한 것 같아서요!"
"음… 이유를 좀 구체적으로 설명해 줄까?!"
"제 생각에는 그렇다구요."
"다들 자기의 생각을 이야기하는 거지. 설명이 어려우면 왜 변화를 생각하게 됐는지라도 말해줄래."
"음… 직관이 중요할 수도 있지 않나요?"

문제점을 제시하는 적극성은 좋다. 하지만 변화를 원할 때는 설득이 동반되는 것이 좋다. 자칫 비판적인 어조가 과하면 '삐딱하다' 또는 '불만이 많다'라는 느낌이 상대에게 전달될 수 있다.

이렇게 화두를 던진 아싸 학생도 생각닌다.

"변화가 필요하잖아요. 고리타분한 느낌이 드니 바꾸는 것이 낫지 않을까요?!"

변화, 고리타분, 강하고 좋은 멘트다. 이유처럼 들리지만, 여기에도 설득의 이유는 빠져있다.(어떤 고리타분한? 왜 고리타분하게 느끼는지?)

토론에서 주고받는 대화는 나를 남에게, 남에게 나를, 그리고 서로에게 영향을 준다. 좋은 토론은 주고, 준 것이 끊기지 않고 되돌아온다. 이런 과정이 반복되며 아이디어가 정리되고 다양한 생각으로 번져 나간다.

염세적이고 허무주의를 포함하고 있는 '아싸적 멘트'는 다음 대화를 단절시킬 수 있다. 위험하다. 특히 대학생 시절에는.

만약, 비판으로 본인의 존재감을 드러내는 것이 아니고 건전한 비판이 토론으로 이어지려면 본인에게 물음을 먼저 던져보자.

무엇을 변화시키고 싶은가?
왜 변화시키고 싶은 것인가?
이유가 있다면 변화시켜 무엇을 개선하려 하는가?
변화 후, 어떻게 변이하기를 원하는 건가?

가만히 앉아 비판만 하는 사람을 위해 세상은 저절로 변화하지 않는다. 운 좋게 세상이 바뀌는 길목에 서 있다가 기회를 만날 수는 있다. 이런 경우는 극히 드물다.

무엇인가를 변화시키고 싶다면 '나도 변화할 수 있다'라는 가능성을 열어놓아야 한다.

 나를 바꾼다는 것, 어렵다!
 하지만 타인의 생각을 바꾸는 것은 더 어렵다!

 타인의 마음을 얻으려면 개선점을 찾아 제시해야 한다. 상대는 듣고 납득이 가야 마음이 움직이기 시작한다. 마음이 열리면 토론은 세상을 바꾸게 될 거다.

20대 아티스트를 위한 에세이

Be; Talk!

발 행 | 2023년 12월 25일
저 자 | 안종혁
펴낸이 | 한건희
펴낸곳 | 주식회사 부크크
출판사등록 | 2014.07.15.(제2014-16호)
주 소 | 서울특별시 금천구 가산디지털1로 119 SK트윈타워 A동 305호
전 화 | 1670-8316
이메일 | info@bookk.co.kr
ISBN | 979-11-410-6187-6

www.bookk.co.kr

"본 연구는 과학기술정보통신부 및 정보통신기획평가원의
166정보통신방송혁신인재양성(메타버스융합대학원)사업 연구 결과로 수행되었음
IITP-2023-RS-2023-00256615"